OS OLHOS DE LUCIA

ARTHUR JAPIN

Os olhos de Lucia

Tradução do holandês
Dina Titan

COMPANHIA DAS LETRAS

Originalmente publicado na Holanda por Arbeiderspers as Een Schitterend Gebrek
Proibida a venda em Portugal

Título original holandês
Een Schitterend Gebrek [Uma brilhante imperfeição]

Título da edição americana
In Lucia's Eyes [Nos olhos de Lucia]

Capa
Victor Burton

Foto de capa
Rosalba Carriera
Retrato de jovem mulher, século XVIII, pastel sobre papel
Coleção particular

Edição de texto e controle de tradução com base na edição americana
Denise Pegorim

Revisão
Carmen S. da Costa
Ana Maria Barbosa

Dados Internacionais de Catalogação na Publicação (CIP)
(Câmara Brasileira do Livro, SP, Brasil)

Japin, Arthur.
Os olhos de Lucia / Arthur Japin ; tradução do holandês Dina Titan. — São Paulo : Companhia das Letras, 2007.

Título original: Een Schitterend Gebrek.
ISBN 978-85-359-1097-1

1. Romance holandês I. Título.

07-6900 CDD-839

Índice para catálogo sistemático:
1. Romances : Literatura holandesa 839

[2007]

EDITORA SCHWARCZ LTDA.
Rua Bandeira Paulista 702 cj. 32
04532-002 — São Paulo — SP
Telefone: (11) 3707-3500
Fax: (11) 3707-3501
www.companhiadasletras.com.br

para Elsa

Muitas coisas que existem apenas na imaginação
depois se tornam reais.

G. C.

I. O BENEFÍCIO DO AMOR

Se há uma coisa que eu sei fazer é amar. Pode não parecer nada de especial, mas para mim é motivo de grande orgulho. Aprendi da mesma maneira que um vira-lata aprende a nadar: enfiado num saco de juta e atirado longe, com o resto da ninhada, num rio de correnteza forte.

Contrariando as expectativas, fui eu a única a me salvar. Ouvindo ainda o choro dos que malograram, tive de aprender a amar alguma coisa.

Não sucumbi.

Alcancei a outra margem.

Amo.

Outros carregam suas tristezas no coração. Invisíveis, elas os corroem por dentro. Minha salvação foi trazer a tristeza do lado de fora, onde não passa despercebida a ninguém.

1.

{Amsterdã, 1758}

Naquela noite em que tudo viria à tona sob uma nova luz, eu na verdade havia planejado jantar, como o fazia todas as quintas-feiras, com o sr. Jamieson, um comerciante de peles e tabaco por atacado; depois talvez fôssemos dançar. Acometido por uma crise de gota, o bom homem teve entretanto de cancelar nosso encontro, e decidi então ir ao meu camarote.

Não me compreenda mal, levei sempre uma vida sóbria. A partir do momento em que a desgraça me atingiu e forçou-me a prosseguir na vida como se fugisse, vi-me obrigada a ser econômica. Não tive escolha, pois durante muito tempo não soube o que seria de mim no dia seguinte. Se teria comida. Se alguém cuidaria de mim. Se seria atacada e impelida a seguir fugindo. Mesmo quando enfim conquistei uma posição mais estável em Amsterdã, jamais me permiti ir além do esperado nos círculos sociais que eu freqüentava e daquilo de que naturalmente necessitava para exercer meu ofício. Nunca me permiti extravagâncias. Tampouco senti falta delas. Mas uma coisa eu me permiti nos últimos anos: um camarote no teatro francês da rua Overtoom, ao qual comparecia sempre que conseguia me desvencilhar de minhas obrigações.

Naquela noite, em meados de outubro, eu me dirigia para lá. Como de costume, havia contratado um barqueiro com uma embarcação pequena, mas decente. Fazia muito frio. O frio nos canais de Amsterdã não é como em Veneza. Começa meses antes, penetra no corpo mais rápida e profundamente e se instala sobretudo nos ossos, não nos pulmões. Ainda assim, prefiro o barco à carruagem. As pessoas nas ruas à margem dos canais não reparam em quem segue de barco. Continuam entretidas na conversa. Assim, passo despercebida. Posso estudá-las com facilidade. E foi exatamente o que fiz naquela noite. De um lado, por prazer; de outro, por motivos profissionais.

Na curva do canal dos Senhores, dois senhores atraíram meu olhar. Um deles não me era estranho: Jan Rijgerbos, investidor da Bolsa, um viúvo amável de maneiras cultivadas, ainda com certo frescor, de boa constituição física e não muito exigente. Eu não conhecia seu companheiro. Tinha a tez escura e um perfil notável. Foi o que imediatamente atraiu minha atenção. Sua aparência me tocou sem que eu entendesse por quê. Pedi ao barqueiro que remasse mais rápido, para que pudéssemos segui-los por mais algum tempo. Eu estudava o desconhecido. Tinha um rosto oval, ressaltado pela cabeleira loira que usava. Não era especialmente bonito, mas despertava meu desejo de uma forma que me era desconhecida.

Isso me irritou.

Estou acostumada a ser aquela que desperta o desejo.

Era magro demais para o meu gosto, concluí. Além disso, vestia-se segundo a última moda parisiense, com uma calça de seda amarela até os joelhos sob a qual se viam as meias, o que lhe dava um aspecto ainda mais afetado naquele tempo horrivelmente frio. Perdi o interesse e recomecei a olhar os demais transeuntes. Ao passar sob a ponte de Leiden, vi Rijgerbos e seu amigo, que a cruzavam, e pude novamente captar um trecho da conversa. Falavam em francês, um deles com dificuldade, o outro com fluência. A voz do francês me agradava. Mandei que o barqueiro parasse sob os arcos da ponte; ali, aguardamos na sombra até que a dupla estivesse fora de vista.

Fosse pela amplidão irresponsável do meu decote ou por eu não ser exatamente uma pessoa isenta de pecados, fosse porque meus pensamentos naquela noite se revelassem de natureza pouco elevada ou por não ser eu o tipo de mulher com quem os poderes sublimes desperdiçariam nem dez minutos de seu tempo — não fosse por esses fatos incontroversos e se poderia pensar que Deus em pessoa, ou mesmo o diabo, arranjara toda a situação apenas por divertimento próprio. Uma coincidência dessas! Raramente nos é dado vislumbrar as conexões pelas quais os eventos da nossa vida encontram seu lugar no grande esquema. Eu mesma não teria suspeitado o que me esperava, por mais que o destino já me houvesse usado como joguete ao longo de tantos anos. Mantive-me todo o tempo em guarda. E justamente agora, quando julgava que ele se cansara de mim e, entediado, enfim me deixara de lado, a vida me agarrava com força pela garganta.

Hoje não posso senão aceitar que certas desgraças talvez escondam um significado. Que, portanto, faz sentido persistir. Disso tive prova. Ou, pelo menos, se Deus assim o quiser, em breve a terei.

Como de costume, dirigi-me a minha cadeira cativa pouco depois do início do espetáculo, de modo a ofender o menor número possível de pessoas. A ópera encenada era uma antiga peça pastoril, recentemente musicada por um compositor de

Grenoble. A maioria dos papéis fora preenchida por cantores da própria Ópera, sendo os favoritos recebidos com uma ovação. O papel principal, uma pastora de ovelhas, era interpretado por um soprano que fora elogiado triunfalmente em toda a Europa por sua atuação nessa obra.

Na metade do primeiro ato, Jan Rijgerbos veio bater à porta do camarote.

"Mas que surpresa", eu disse. "Não fazia idéia de que o senhor gostava de teatro. Não me lembro de nos termos encontrado aqui em outra ocasião."

Ele era educado demais para deixar transparecer seu desconforto com nossa conversa, mas tomou cuidado para não ser visto em minha companhia. Já estou acostumada a isso. Não me magoava e não considerei ofensivas as suas ações.

"Devo confessar que a música soa muito artificial aos meus ouvidos, mas o que entendo eu do assunto? Não, trago aqui um convidado que chegou da França. Está de visita a nossa cidade, como agente do Tesouro francês, e insiste em vir todas as noites ao teatro, como faz sempre. Estamos na platéia..."

Rijgerbos deu um passo para o lado. Ali estava seu convidado, que me foi apresentado como monsieur le Chevalier de Seingalt.

"Nossos lugares na platéia nos foram vendidos com a garantia de que teríamos a melhor visão do espetáculo", disse o homem em francês. Inclinou-se e beijou minha mão. "Mas ninguém nos avisou que hoje o que há de mais encantador não estaria no palco."

Tudo o que um homem pode dizer a uma mulher eu já ouvi. Elogios à aparência sempre me deprimem, ainda mais se proferidos no primeiro encontro. O senso de obrigação que há neles parece esgotá-los desde o início; despachados para uma missão na qual não acreditam, fracassam inevitavelmente, como cavalos de arado forçados a executar um número artístico, sendo indisfarçável, desde o início, o desalento que a tarefa lhes inspira. Há mulheres que dão a vida por uma palavrinha doce. De minha parte, prefiro não tê-las. Mas que homem entenderia isso? A maioria deles espera nos satisfazer com seu parco entendimento do que seja a satisfação para nós.

Cordialmente, ofereci aos cavalheiros que se sentassem junto a mim no camarote. Rijgerbos se ocultou atrás da cortina, mas Seingalt, desavergonhado, deu um passo à frente, postando-se justo onde podia ser visto por toda a sala. A seda amarela de seu traje berrante parecia iluminada pelas velas do proscênio.

Apenas ao ter certeza de que todos os olhares se dirigiam a nós foi que ele se sentou e, deliberadamente, puxou a cadeira para mais perto ainda de mim, o que só poderia significar duas coisas: ou Rijgerbos não lhe contara nada a meu respeito, ou lhe contara tudo e aquele ilustre senhor não temia o diabo. Fosse o que fosse, decidi gostar dele.

Ouvimos em silêncio o restante da ária. Todo o tempo eu sentia sobre mim o olhar de Seingalt. Ele tentava descobrir as linhas do meu rosto sob a renda que eu usava como véu. Eu sabia que ele não veria nada, mas ainda assim me perturbei. Tive de controlar a respiração para não trair minha inquietude. Os olhos de Seingalt, grandes e negros sob pálpebras pesadas, continuavam a divagar, às vezes na direção do meu corpo, às vezes erguendo-se na esperança de descobrir meu olhar.

No intervalo, quando os grandes candelabros foram acesos, movi meu assento de maneira a permanecer na sombra. O chevalier informou que estava hospedado no L'Étoile d'Orient, na esquina da Kuipersteeg. Contou que chegara havia pouco de Paris, com a incumbência de negociar títulos franceses em Amsterdã, muito desvalorizados na França por causa da guerra; era um esforço de aliviar a situação financeira de seu país. Durante todo o tempo tentou ver meu rosto — em vão. Finalmente, pediu o que ninguém jamais havia tido coragem de pedir: se eu, em troca da amizade que ele queria me oferecer em recompensa, poderia agraciá-lo com a visão do meu semblante. Parecia não estar acostumado a que uma mulher lhe negasse fosse o que fosse, pois voltou a insistir, apenas com menos polidez. E, por fim, perguntou abertamente por que eu lhe regateava o que ele tanto desejava.

"Se o senhor possuísse uma jóia de grande valor", respondi, "iria exibi-la a qualquer um?"

Ele sorriu. "A senhora tem razão, eu a guardaria em lugar seguro."

"Pois é exatamente assim que eu me guardo, monsieur. Cheia de cuidados."

Num dia qualquer, decidi usar o véu. O efeito sobre os homens é notável. Eles preferem o que lhes é proibido. Um homem deseja aquilo de que foi privado. Prefere o incerto ao certo.

"A jóia que a senhora esconde deve ser única no mundo", disse o salvador da França um tanto amuado, e seu olhar deslizou maldosamente sobre o meu busto descoberto, "considerando que exibe, sem maiores escrúpulos, outros tesouros pelos quais qualquer um cometeria assassinato."

"Desista, senhor", disse-lhe em tom jocoso, "esta é uma batalha desigual."

Continuei a brincar assim e permaneci no controle, até que ele se calou e fingiu que sua atenção fora capturada por um dos cantores que retornavam ao palco. Para lhe dar alguma esperança, abri meu leque sobre o veludo do parapeito, sinal que em toda a Europa se compreende.

Desde muitos anos eu me habituara a me ver nos olhos dos outros. Julgava a mim mesma pelas reações que provocava. O olhar alheio fornecia-me a chave daquilo que eu era. Veio, então, a idéia de correr a cortina sobre a cena.

De início, cobria o rosto apenas ao sair de casa. Encobrindo-me, descobri uma liberdade que só havia conhecido na infância. No instante em que pus o véu, passei a viver como que renascida. Se os outros não me viam, eu também já não sentia necessidade de me olhar. E, livre da imagem que tinha de mim mesma, pude me mover pelo mundo como uma criança entre adultos. Eles não me vêem como um deles e, assim, me é permitido muito mais. Não preciso compartilhar de sua gravidade. Quando estão sentados à mesa, imagino-me rastejando furtivamente pelo chão, por entre as pernas deles. Uma criança intui o julgamento dos adultos, mas não o toma muito a sério. Foi exatamente essa despreocupação, essa leveza displicente que reencontrei sob o meu disfarce. O véu me agradou tanto que nos últimos anos raramente o retirei, mesmo dentro de casa, sozinha. Quando estou trabalhando, de todo modo, sempre me oculto. É este, creio, o motivo do meu êxito.

A trama da ópera pastoral teve um desfecho dramático. O pai do jovem camponês avisa à pastorinha: deserdará o filho, que está apaixonado, caso ele a despose. Para preservar a felicidade do amado, ela se finge apaixonada por outro, deixa o rebanho fugir e entra para um convento. Mal se tornara noiva de Cristo quando o jovem amante bate à porta do convento. Descobrira as intenções dela, mas era tarde demais. Ela permite que ele contemple sua beleza uma última vez e, em seguida, veste os véus de freira. Ele a perde para sempre.

“Mas que sacrilégio!”, suspirou Seingalt quando a soprano desapareceu sob o hábito. Parecia verdadeiramente indignado e não se deu conta do que dizia. "Esconder algo tão belo! Isso com certeza é pecado mortal!"

"O julgamento dos nossos pecados, meu senhor, prefiro deixá-lo nas mãos Daquele que os inventou."

Ele me olhou com um sorriso duro.

"Talvez na mesma ocasião Ele possa me explicar por que alguém como a senhora se esconde de livre e espontânea vontade."

Fechei o leque logo depois e o guardei. Heroínas que se sacrificam desnecessariamente não devem contar com minha simpatia. Irrito-me com esses tolos que deixam as emoções prevalecer sobre o intelecto e gosto de ver quando recebem o que merecem. Não querendo ficar até o final do ato, pedi licença aos dois cavalheiros e me retirei. A pastoral era inquietante, e eu vinha à ópera para me divertir, não para ser perturbada.

Não foi a primeira vez que me acusaram de esconder-me atrás do véu — equívoco freqüente, ainda que a verdade seja justo o contrário.

Eu escondo o mundo.

Desci um véu sobre ele.

Através desta névoa de renda e seda, ele me parece muito mais gentil.

2.

Não me recordo de limites. Pasiano, a propriedade onde nasci, estendia-se a perder de vista, para além das montanhas. As portas estavam sempre abertas. Eu podia ir a qualquer canto. Podia andar durante horas e, não importa aonde fosse, tudo me era familiar. Meus pais não precisavam se preocupar comigo. De manhã, quando me punha a perseguir um passarinho ou uma borboleta, estavam tranqüilos se eu sumia de vista, pois em torno do meio-dia os odores da cozinha se espalhariam pelos campos e me seduziriam de volta a casa. Desde muito pequena me tornei amiga dos cavalos soltos nos pastos e não demorei a ter permissão para cavalgá-los campo afora, os calcanhares ferrados em seus flancos, as mãos agarradas na crina. Os pintinhos do galinheiro eram os meus brinquedos. Os cachorros do capataz, companheiros de brincadeira. Juntos, rolávamos as encostas de tons dourados e corríamos pelos bosques. Os riachos no vale eram rasos e quentes, e, até o meu décimo aniversário, os caçadores estavam proibidos de montar armadilhas. Em Pasiano não existia nenhum perigo. Não havia nada que limitasse a minha felicidade. Passei a infância sem conhecer medo ou julgamento.

Não tinha nenhum motivo para pensar que as coisas no resto do mundo fossem diferentes.

Como todas as pessoas, eu sentia antes de pensar. Somente quando comecei a receber instrução formal foi que aprendi a separar as coisas e a dar aos fatos o nome certo. Entretanto, jamais considerei mais valioso o que me ensinaram do que aquilo que sabia instintivamente. Continuo a ser, mesmo hoje, uma pessoa que reluta em aceitar realidades desagradáveis. Ainda gosto de me iludir e tenho certo talento para isso. A vantagem do auto-engano é nos fazer acreditar que tudo é possível. Se é o diabo que está me encarando, ainda assim quero me convencer de que um anjo me visita. Convenço-me — e a tal ponto que poderia fazer o próprio Lúcifer duvidar. Sinto menos medo assim.

Acredito em sonhos. Vivi um sonho durante os primeiros catorze anos da minha vida. Eu os compreendo, eles me são familiares. Não quer dizer que eu não veja a verdade, em absoluto. Ao contrário, vejo-a com excessiva clareza. Cerro os olhos contra a luz forte. Sinto-me mais segura assim, ainda que por pouco tempo, enquanto o enxofre já corrói por dentro as minhas narinas.

Nos primeiros anos, pensava que Pasiano fosse nossa. Desde os campos de milhos de Squazaré, onde nascia o sol, até Rivarotta, onde no começo de novembro pousavam as cegonhas, em sua rota de migração para fugir do inverno. Desde os bosques repletos de cervos, perto de Codopé, até Azanello, onde o sol desaparecia por detrás das ruínas do forte de Montefeltro. Eu simplesmente não tinha nenhum motivo para pensar que o meu mundo não me pertencesse.

A terra pertencia, na realidade, à condessa de Montereale, que por motivos de saúde sempre passava os meses de verão em Pasiano. Casada com o conde Antonio, amava-o apaixonadamente, embora ele vivesse em Milão com a amante. Tinham uma única filha, Adriana, a quem víamos muito raramente, pois ela permanecia em Veneza com o preceptor francês, monsieur de Pompignac.

A riqueza da família Montereale era modesta, se comparada à fortuna de outras famílias nobres. Sem cuidado contínuo e planejamento exato, Adriana mais tarde teria menos chances no mercado nupcial. A concorrência era mortal nos melhores círculos sociais venezianos. Para que uma moça conquistasse uma posição, devia brilhar nas grandes festividades desde muito jovem, não apenas durante a temporada, mas também no verão, fora da cidade, no Brenta e nas casas de veraneio mais importantes do Vêneto.

Sem a companhia da filha, a condessa se sentia solitária nos verões de Pasiano. Sobrava-lhe amor, e este ela o consagrava a mim. Costumava me ter por perto e gostava de que eu brincasse no salão. Mesmo quando recebia convidados, às vezes olhava através das grandes portas envidraçadas e, se me via brincar no prado, chamava-me e me fazia sentar em seu colo. Eu a chamava de tia e simplesmente aceitava que fizesse parte da nossa família.

Um dia, na primavera, um de seus primos veio hospedar-se na casa. Fugira de Chioggia, onde havia uma epidemia de varíola, e trouxe consigo um menino de seis anos. Era exatamente a minha idade; tornamo-nos amigos. Mostrei-lhe o meu paraíso, mas ele nem sequer pareceu vê-lo. Escolhi alguns pintinhos e os ofereci como presente, mas ele deu de ombros e os soltou de novo. Num trecho mais rápido da correnteza, mostrei-lhe as libélulas que dançavam em meio às gotas de água e lhe ensinei como capturá-las sem as machucar. Fascinado, tomou o inseto de mim e disse que no futuro gostaria de se tornar médico. Dito isto, arrancou as asas da libélula, apenas para tentar remediar o estrago prendendo-as com uma tala. Mais tarde, quis cavalgar um dos cachorros e começou a esporeá-lo com os calcanhares. O animal, naturalmente, cravou-lhe os dentes, o que me pareceu muito justo. Não foi uma mordida profunda nem chegou a sangrar, mas o menino transformou a situação num drama. Correu para o pai, que exigiu que o capataz se livrasse dos animais no mesmo dia e ainda fez questão de supervisionar a operação. Vimos quando os cachorros foram recolhidos e amarrados dentro de um saco de juta. Eu estava inconsolável. A condessa me puxou para junto de si no sofá e me abraçou, embalando-me apaixonadamente como se ela também pudesse vir a me perder.

"Veja, minha pequena criança", sussurrou. "Veja só o que acontece quando permitimos que alguém se aproxime daquilo que amamos."

Pouco tempo depois o menino voltou para Gemona com o pai, que justificou a partida dizendo que a tal doença, antes tão temida e motivo de sua fuga, não alcançava aquelas terras montanhosas. Na realidade, a condessa pedira ao primo que se retirasse. Ele se ofendeu, e, ao subir na carruagem, ainda gritou, cheio de despeito, que além disso seria irresponsável permitir que uma criança bem-nascida brincasse com a filha da cozinheira.

Naquela noite minha mãe me revelou a diferença entre serviçais e nobres. Explicou que a condessa não era de fato minha tia e que não tínhamos nenhum direito sobre a propriedade. Nossa condição era a de subalternos. Vivíamos da bondade da proprietária.

Isso em nada alterou minha vida em Pasiano. Continuei livre para andar pelos bosques e campos, para entrar e sair da casa como sempre fizera. Tudo continuava a ser precioso para mim. A condessa de Montereale me amava da mesma maneira. Ainda assim, uma tristeza havia nascido. Não era imaginação. Ao longo de todo o verão que se seguiu, ela ciciou entre os grãos, e naquele inverno pude escutá-la no canto dos gansos.

Poucas pessoas conseguem captar o poder das palavras. Uma só, dita sem cogitação, pode mudar o mundo. A verdade não consiste somente naquilo que vemos, o que lhe dá valor apenas relativo. Tomo muito cuidado com isso.

Minha mãe não era exatamente uma criada. Junto com meu pai, comandava todas as atividades domésticas e era responsável pela criadagem e pelo bem-estar dos convidados.

A família de meu pai já estava a serviço dos Montereale havia cinco gerações quando minha mãe, mocinha na época, visitara a fazenda nos primeiros meses de 1728. Nunca fora sua intenção permanecer. Era aprendiz do pai e viajara em sua companhia para supervisionar a instalação dos espelhos monumentais que ele criara especialmente para o salão de festas de Pasiano. O trabalho pesado foi executado por empregados do lugar, meu pai entre eles, todos dispensados temporariamente de suas atividades habituais. Trabalhavam com o torso descoberto, apesar do frio lá fora, e suavam tanto para conseguir instalar a gigantesca obra de arte, que as janelas do salão ficavam embaçadas.

A fama de meu avô se estendia por Veneza-Giulia afora. Suas criações podiam ser encontradas de Viena a Milão. Na produção de seus espelhos, utilizava uma técnica que aprendera em viagens a Tiflis e a Constantinopla: em vez de lapidar a parte frontal do vidro, burilava o reverso, em diversas camadas sob o mercúrio. As imagens exuberantes que ele mesmo desenhava criavam a ilusão de uma profundidade excepcional, sendo admiradas até pelo grande Tiepolo. Por trás do vidro parecia haver uma outra dimensão — intangível, fantástica, feérica — que aprisionava a luz e a refletia de um modo inteiramente desconhecido em nossa região. Por muitas temporadas esteve na moda contratar meu avô para decorar a casa. Suas molduras espelhadas ornamentavam pinturas, portas e janelas, e, para impressionar os convidados, os mais abastados chegavam a encomendar mesas e cadeiras de vidro expressamente para que ele as lapidasse com seu método secreto. Naquela época, cada alcova e cada salão estavam repletos de bugigangas decoradas por ele. Sua popularidade atingiu o auge quando ele desenvolveu um método pelo qual aplicava pó de cobre e folha de ouro sobre o reverso do vidro, o que embebia o espelho de um brilho muito delicado, de tal modo que qualquer um que se olhasse nele via uma imagem de si refletida sem manchas e imperfeições. Em matéria de espelhos, as grandes famílias de Veneza preferiam os trabalhos dele aos de Murano. Assim, quem vai hoje ao palácio de Mocenigo, de Venier ou de Zorzi e se olha num espelho, depara-se com uma versão mais gentil de si, emoldurada pelos espectros resplandecentes gerados pela mão de meu avô. Quando vim ao mundo, fazia tempo que a nobreza descobrira uma nova excentricidade para transformar em moda. A fama de meu avô havia passado. Ele não se aborreceu. O sucesso esgotara suas forças. Depois de anos de trabalho por encomenda, retornou feliz à fonte de sua inspiração, sem ter de agradar ninguém além de si. Dali em diante não trabalhou mais como artesão, apenas como artista. Raramente o que produzia caía no gosto do grande público; a exceção eram alguns clientes fiéis, pessoas de bom gosto que compartilhavam de sua fascinação e vez por outra lhe encomendavam algo, a exemplo da condessa de Montereale, que mandara redecorar o grande salão de baile por ocasião do nascimento da filha.

A obra levou cinco semanas inteiras para ser concluída.

Nesse meio-tempo, aconteceu.

“Que medos horríveis você me fez passar naqueles dias”, diria minha mãe a meu pai muitas e muitas vezes. “Aqueles seus punhos de camponês sobre vidros tão preciosos! Por milagre não se estilhaçaram. Confiar algo assim a um tipo como você, não sei onde eu estava com a cabeça!" Enquanto falava, seus olhos a traíam, e ele sabia muito bem que ela se deleitava em relembrar. "O que entende um grosseirão de coisas delicadas e finas?" Usava sempre essas provocações para que as mãos grandes e ásperas dele viessem lhe abraçar a cintura como haviam feito uma vez no passado. E era bem-sucedida sem maior esforço. Logo ele a abraçava e a erguia enquanto ela se ria toda, protestando com ruídos de prazer.

"Me largue!", ela gritava. "Seu desajeitado! Quer me quebrar? Acha que vou me render a você? Dar um cálice de cristal cheinho de mel a um urso das cavernas?" Tudo isso sabendo muito bem que a reação de meu pai seria lhe dar umas boas lambidas no rosto. Minha presença não trazia nenhum constrangimento a meus pais; ao contrário, pareciam executar a encenação para me fazer saber até que ponto o seu amor, do qual eu era fruto, ainda ardia fervorosamente.

"Eu vi este seu pai me olhar desde o primeiro dia em que começamos a decorar o salão", ela me confessou quando eu também me apaixonei. Foi a primeira e única vez que não nos falamos como mãe e filha, mas como amigas. Eu tinha catorze anos. Suas confidências me incomodaram, mas eu estava agradecida por ela me levar a sério. Minha mãe compreendia o amor como ninguém e soube, não importava a minha idade, que eu havia encontrado o meu.

"Ele nunca me olhava diretamente, o paspalho. Era eu que surpreendia o olhar dele através dos espelhos", contou minha mãe. "Primeiro me senti lisonjeada, mas com o passar dos dias aquela parvalhice me aborreceu. A teimosia dele me irritava tanto que cheguei a ter ciúme do meu próprio reflexo. Um dia esperei que meu pai saísse para comer com os outros trabalhadores e perguntei por que ele não parava de me olhar feito um estúpido, um tolo descarado. Ele precisou reunir toda a coragem para me responder: 'Não é para a senhora que fico olhando', murmurou, e tinha a audácia de ainda não se dirigir a mim, apenas à minha imagem no espelho. Fiquei furiosa. 'É por causa da arte de seu pai', ele disse. 'É tão milagrosa e tão incompreensível que vejo o meu futuro nela.' Virei o rosto com desprezo e quis sair dali, conversa fiada nunca me agradou. Mas ele parecia falar a sério, e segurou meu pulso com tanta força que até doeu. 'Me perdoe', disse, 'mas não posso tirar meus olhos nem por um segundo da minha felicidade.' E se recusou a me soltar, para que eu visse o que ele estava me apontando. Com a mão firme, obrigou-me a olhar para mim mesma. Não se satisfez com uma olhadinha rápida, nada disso: fui forçada a me olhar fixamente dentro dos meus próprios olhos. Ele parecia quase ameaçador. Tive medo de que talvez viesse de uma daquelas famílias de camponeses dos Alpes com tendência à loucura. A melhor coisa a fazer parecia ser obedecer às suas ordens. Olhei para mim mesma. E continuei a olhar. Na verdade, não era um grande sacrifício. Imagine, eu havia crescido num ateliê cheio de espelhos. Para qualquer lado que olhasse, sempre me via refletida. Até então, pensava ter uma boa idéia do que eu era. Só que agora eu parecia ser alguma coisa a mais. Não melhor ou pior, apenas mais completa. De repente percebi que tudo o que eu havia observado de mim mesma eram os meus contornos e que sempre evitara meu próprio olhar. Não encontro outra explicação: até ali, tinha visto minha aparência como um pintor de segunda categoria que pinta um quadro com muita precisão, com todos os detalhes, mas sem vida. Agora, via realmente o meu retrato, como um grande artista captura seu tema num rápido esboço: sem revelar o todo, em poucas pinceladas já desvenda as batidas do coração e a respiração acelerada e quente. Finalmente aquele louco afrouxou as garras. Olhei para ele. Seus olhos estavam cheios de lágrimas. Isso foi tudo. 'Está bem', eu disse. 'Eu vi.'"

Depois minha mãe me embalou por um momento, com a clara noção de que seria a última vez. Por fim, me deu um beijo, sinal de que nossa conversa íntima chegara ao fim, e disse num tom resoluto e objetivo, como se para concluir minha criação: "É só o que conta, minha querida — que alguém veja em você mais do que você pensava que era possível ver".

Os jovens apaixonados no salão não conseguiram esconder a felicidade. Assim que meu avô voltou de sua refeição, percebeu que teria de entregar a filha. O par, radiante, agradava tanto à condessa de Montereale que ela se negou a deixá-los partir quando a sala dos espelhos ficou pronta. Ofereceu-lhes uma posição como zeladores de Pasiano.

Foi assim que nasci, naquele mesmo ano, numa cama monumental de um dos aposentos de hóspedes do segundo andar. No dia do meu nascimento, meu avô lapidou um pequenino espelho redondo que foi pendurado como um brinquedo irradiante sobre o meu berço. Em torno, como moldura, ele o burilou em vários prismas que, ao refratar a luz, faziam as cores do arco-íris dançar na roupa de cama e nas cortininhas. Esse objeto tão querido é o único dos meus pertences que ainda trago comigo. Sua ornamentação é simples: uma guirlanda de uvas, erguida por quatro pequenos querubins. Na camada inferior do vidro, visível somente sob luz direta, meu avô gravou um pratinho e, sobre ele, os símbolos da santa em cuja homenagem meu nome foi escolhido: os olhos de santa Lúcia.

3.

Naquele ano, as tempestades de outono chegaram cedo à Holanda. Desde que me radicara em Amsterdã, nunca tinha visto nada igual. Sete barcas afundaram no mar do Sul. Duas se quebraram contra o cais oeste. Cinco almas foram soterradas pelo desmoronamento de uma casa no canal do Imperador e só Deus sabe quantos mais morreram nos Jardins. Lá, um bloco inteiro de casas entre o canal dos Hibiscos e o canal das Flores foi devorado por um incêndio que o vento manteve aceso por três dias a fio. Para completar o desastre, a maré alta abriu um buraco no dique do mar. A guarda conseguiu fechá-lo na mesma noite, mas a seqüência de desastres naquela semana oprimiu pesadamente a cidade.

Na sexta-feira, embora o perigo ainda não houvesse passado, tudo parecia ter se acalmado. Por volta das três e meia ouvimos um arauto da cidade, que, postado na esquina do asilo de velhos, ordenou que toda chaminé que estivesse fora de prumo deveria ser imediatamente retirada, pois se esperavam novos temporais.

Giovanna e Danae me olharam através do espelho. Estávamos lado a lado, justamente nos embelezando. As meninas haviam trabalhado muito a semana inteira, tinham passado grande parte do tempo dentro de casa — as acomodações onde eu as alojara eram confortáveis, mas pequenas; estávamos todas ansiosas por sair um pouco para passear. Provenientes ambas de Parma, não conheciam ninguém mais em Amsterdã e viviam sob minha proteção. Tinham decidido visitar o salão de música. Por causa das péssimas condições do tempo, todos os barcos haviam sido obrigados a permanecer no porto — a cidade estava repleta de marinheiros e capitães de navio e as duas amigas queriam tentar a sorte. Eu mesma recebera de Jan Rijgerbos um convite para jantar que fora feito amigavelmente e parecia promissor; não queria decepcioná-lo. Decidimos não deixar que o mau tempo arruinasse nossos planos. Não que tivéssemos alternativa propriamente. Eram tempos difíceis. Passei um *rouge* espanhol em minhas *protegées* e escolhi para cada uma o lugar certo de fazer uma pinta. Dei o laço em seus espartilhos e elas fizeram o mesmo com o meu. Pus um vestido de chintz azul-escuro. Elas escolheram tecidos mais finos, mais adequados à juventude de ambas, e nos olhamos as três com aprovação. Eu me sentia forte e bonita e estava empenhada em preservar essa sensação. Para aquela noite, escolhi um véu púrpura, bordado pelas freiras de Santa Ana em Bruges.

Jan veio me buscar. Para minha surpresa, não me levou para sua casa no canal dos Senhores nem para um dos estabelecimentos públicos onde se atrevia a ser visto em minha companhia; a carruagem seguiu o rio Amstel em direção à casa de campo da família, em Oudekerk, onde encontramos um pequeno grupo de amigos sentados em torno da lareira. Entre eles, reconheci dois cavalheiros, Rindert Bolhuys, o sacristão da Igreja do Sul, com quem eu me arriscara a dançar um pouquinho uma vez, e meu amigo Jamieson, o comerciante de Massachusetts. Escutavam um estrangeiro que lhes contava alguma história. Só o via de costas, mas reconheci a voz. Era o francês da ópera. Falava-lhes sobre as *grisettes* de Paris, moças que a custo sobreviviam com seu trabalho miserável.

Jan percebeu que eu, assustada, havia recuado, mas segurou meu braço com firmeza.

"O que foi combinado?", perguntei.

"Não se irrite. Trata-se somente de diversão."

"Gosto de clareza. Em sua carta você não mencionou nada sobre terceiros. Pensei que iríamos passar a noite juntos, como de costume."

"A culpa é de monsieur de Seingalt. Ele queria terminantemente encontrá-la mais uma vez."

Nesse momento o francês reparou na minha presença. Concluiu a história dizendo que aquelas moças do povo, tais como as descrevera, eram melhores do que as bem-nascidas, pois podiam levar uma vida independente, livre das coerções da boa sociedade. Em vez de colher os louros por sua narrativa, abandonou a platéia para vir me cumprimentar.

"Mas não se iluda", suspirou Jan. "Ele está fazendo a corte à filha de um magistrado. Ainda assim, há dias só pergunta de você."

"O que lhe contou sobre mim?"

"Tudo", disse Jan em tom tranqüilizador. "Menos a verdade."

Jantamos juntos e em seguida houve um pouco de música no salão. Os cavalheiros dirigiram a conversa para assuntos de dinheiro e questões de Estado. O sr. Jamieson foi assediado por perguntas sobre os acontecimentos da guerra dos ingleses contra franceses e índios no Canadá. Disse que a guerra era uma bênção para Nova York, cidade onde havia pouco tempo adquirira uns armazéns e para a qual pretendia se mudar em breve.

"O dinheiro parece brotar de todo lado", disse ele, "para o soldo e a manutenção das tropas. Para um comerciante como eu, que faz negócios onde os encontra, são tempos de ouro. Dentro de poucos anos, o porto será maior do que o de Boston e a cidade terá ruas maiores do que as da Filadélfia. Já existem lá doze igrejas e algumas centenas de lojas."

"Será verdade", perguntou Bolhuys desajeitadamente, "que muita gente estranha está se mudando para lá, uma escória indesejada em outras partes?"

"Vêm pessoas do mundo inteiro tentar a sorte, isso é verdade. A agitação permanente e a atmosfera relaxada são ideais para quem quer fugir do passado..."

"E que homem casado não gostaria disso?", disse Jan jocosamente.

"...e para qualquer um que pretenda se reinventar."

"Disseram-me", Seingalt comentou, escolhendo, naturalmente, tomar o partido dos franceses, "que na sua cidade se usam mais escravos do que nas outras cidades do Norte e que o levante deles foi reprimido com mais brutalidade do que no Sul. Qual é a sua opinião? Acha que a prosperidade de vocês continuará, caso a França venha a triunfar em breve e conceda liberdade aos negros?"

"Isso seria tão desastroso quanto uma chuva de carvão em brasa", replicou Jamieson, "e igualmente improvável."

Discutiram-se por algum tempo os conflitos entre as duas nações. Tentei permanecer indiferente e me divertir com os outros convidados, mas estava evidente que os dois discordavam continuamente sobre tudo, quer se tratasse da fé católica, do hábito de comer peixe cru ou da reutilização das cascas de frutas cítricas. A discussão subiu de tom perigosamente quando Seingalt afirmou achar ameaçadora, em particular, a influência do duque de Brunswick sobre o príncipe Guilherme, detentor da coroa holandesa, pois o tornava parcial em favor da Inglaterra e contra a França. Falou de modo tão irritado e ríspido que comecei a acreditar que estava com ciúmes por ser forçado a dividir minha atenção com Jamieson. Depois dessa explosão, preferiram limitar a conversa a amenidades e gracejos, e os demais cavalheiros passaram a fazer pilhéria sobre a virilidade e as conquistas de Seingalt. Ele conseguiu desviar o tema, contando uma longa história sobre a tentativa de assassinato de Luís XV, que acompanhara de perto, segundo disse, pois estava a serviço da corte na função de agente secreto, e outra sobre o sorteio da loteria nacional para a École Militaire, que ele havia criado juntamente com D'Alembert e Diderot. Em suma, monsieur le chevalier revelava-se um homem que se deixava levar inteiramente pelas próprias histórias.

Depois de agradar a todos, propôs um jogo com quadrados mágicos e pirâmides numéricas. Explicou-o com plena convicção, como se demonstrasse efetivamente a chave para a interpretação da cabala. Jan me confidenciou que Seingalt apresentara esse mesmo truque de salão em todas as cortes européias, sempre com muito sucesso, e que muitos haviam acreditado nele sem reservas, como acontecia agora. As pessoas podiam formular perguntas e ele atribuía valores às letras da pergunta. Em seguida, manipulava esses números até surgir a resposta. Também estas recebiam valores conforme um alfabeto numérico inventado pelo próprio Seingalt, que jurava, entretanto, não estar ao seu alcance manipular *a priori* os resultados. Devo admitir que representava magistralmente o papel, a ponto de não ser difícil acreditar que estivesse de fato recebendo mensagens e respostas de um oráculo ou de um poder superior. Alguns dos presentes também se mostraram curiosos em saber o que o futuro lhes reservava. Seingalt quis fazer uma previsão para mim. Agradeci a gentileza e disse que preferia aprender lições com o passado.

Por volta das dez as persianas tiveram de ser fechadas. As árvores ainda estavam repletas de folhas, embora a última tempestade houvesse derrubado várias delas nas margens do rio. Com o vento de agora, com o novo temporal que se armava, temia-se que outras viessem abaixo. Para nossa própria segurança, pediram-nos que nos retirássemos do salão, pois este dava para o dique. A maioria preferiu retornar a casa, entre eles o sr. Jamieson, que se ofereceu para me acompanhar. Declinei também dessa gentileza, dizendo-lhe que desejava permanecer um pouco mais e ouvir Seingalt.

"Há gosto para tudo", murmurou Jamieson, "mas observei esse francês. Como confiar num povo que devora cebolas dia após dia? Isso perturba o sono. Não é de espantar que em Paris já não se encontre um só homem que não tenha trocado seus sonhos por alguma convicção."

Os convidados que escolheram ficar distribuíram-se por diversos aposentos. O chevalier de Seignalt acomodou-se junto a mim numa das antecâmaras. Ali não seríamos incomodados. Em seguida às formalidades de praxe, ele passou imediatamente a cuidar do que lhe interessava.

Devo admitir, sua técnica demonstrava um conhecimento impressionante da alma feminina. Agora que estávamos a sós, não mencionou mais suas aventuras. Tornou-se enigmático e fazia perguntas sobre mim, sobre os meus hábitos, meus desejos, minhas idéias, minha fé, minhas convicções, meu passado. Evasiva, não lhe contei grande coisa, mas ele insistia: onde eu havia crescido? Como era possível que eu falasse tão bem o francês? Eu tinha família na Holanda? Não me sentia solitária? Encontrava consolo na fé ou confiava em mim mesma? Era um fluxo ininterrupto. Dava a impressão de que qualquer faceta do meu caráter o fascinava, técnica avançada que eu identificava perfeitamente. Entre as artes da sedução, era esta a mais delicada e, por isso mesmo, a mais efetiva.

Mas não naquela noite.

Em qualquer outra circunstância, a tática teria despertado minha simpatia; em Seingalt, irritava-me. Não podia tolerar que seu interesse por mim fosse apenas simulado. Desejei que fosse genuíno — foi o que percebi com desprazer — e me decepcionei comigo mesma. Será preciso um milagre para descobrir um homem capaz de compreender uma mulher? Para abreviar: era inútil, não valia a pena. Eu não tinha a menor disposição de lhe desvendar nada sobre mim. Como ele persistisse em seu método pueril e excessivamente confiante, resolvi, destemida, passar à ofensiva.

"O senhor costuma ser sempre tão prolixo, primeiro despindo espiritualmente a mulher para, em seguida, fazer o mesmo com seu corpo?"

"O corpo?" Ele perguntou como se eu estivesse falando grego. "Uma mulher pode dar seu corpo a qualquer um. Isso não me interessa."

"E o senhor se supõe um homem, devo crer?"

"O desafio, para mim, é ganhar o coração da mulher."

"Muito louvável", repliquei em tom de zombaria. "E então? Funciona?"

"Até aqui? Invariavelmente. Sem exceção."

Minha agressividade impudente parecia lhe agradar.

"Fantástico", prossegui. "Então uma mulher lhe dá o coração de presente e o senhor o aceita. Bravo! Espero que se divirta. Mas e depois? O que faz com o troféu? Onde o põe quando esse coração se torna propriedade sua? O senhor o ama por algum tempo e... então? Onde o guarda enquanto sai à caça do próximo? Pendura-o na parede da sua sala de troféus, entre os outros animais selvagens que já caçou? Ou o atira por sobre os ombros e nem percebe aonde vai parar?"

"Jamais fiz mal a nenhuma das mulheres que conheci. Jamais as fiz infelizes, a nenhuma sequer."

"A nenhuma?"

"Nenhuma!"

"Gostaria de ser jovem e ingênua o bastante para acreditar no senhor."

"Por que eu mentiria?"

"Bem, vejamos... Por que motivo um homem mentiria a respeito do amor?", repliquei inocentemente, entre divertida e exasperada. "Deixe-me refletir..."

"Como pode ser tão cínica?"

"Conheci homens o suficiente para saber que destroem os corações femininos à força de rejeição."

"Minhas amantes e eu nos separamos sempre como amigos. Não encontrará uma única que diga o contrário."

"O senhor, naturalmente, varre os estilhaços de maneira muito amigável, reunindo-os num montinho para em seguida restituir à pobrezinha o coração em migalhas."

"Jamais, garanto-lhe!"

Estava com as mãos espalmadas no ar e, como um garoto que tivesse acabado de provar o doce da panela, tinha um olhar tão inocente que dava vontade de perdoá-lo enquanto ele ainda lambia os restinhos no canto da boca.

"No momento em que cada um segue o seu caminho", explicou, "ambos têm de estar de acordo. Sem raiva. Sem ciúmes."

"E se a moça em questão não quiser se separar? O que acontece quando ela o ama e quer continuar a amá-lo?"

"Nesse caso, trata-se de encontrar um homem melhor para ela, alguém cujo encanto supere o meu. Ela se apaixonará e chegará sozinha à melhor conclusão."

"Nada de corações partidos..."

"Sou sempre muito claro a esse respeito. E atribuo ao amor uma importância superior. Se alguém que amei viesse a se sentir triste depois de minha partida, significaria que tudo teria falhado. Não consideraria uma vitória, mas um fracasso."

"Bem, agradeça a Deus por tê-lo poupado desse mal", eu disse. "Isto é, a menos que..." E, para criar certo efeito, hesitei, prolongando a pausa o mais possível: "...não seria plausível pensar que as mulheres abandonadas pelo senhor simplesmente se calaram sobre a tristeza delas?".

"Por que mentiriam?"

"Elas o amavam, não é?"

"Justamente por isso", ele disse cheio de si, como se tivesse apresentado uma prova. "Não é exatamente onde existe amor que podemos não ter medo da verdade?"

"Essa lógica, meu senhor, contraria a enorme experiência de que se gaba. Amor e honestidade dificilmente caminham juntos."

Seu rosto se tornou sombrio.

"Ah", disse, balançando a cabeça, "agora a senhora se desmascarou."

"Talvez uma mulher prefira se calar, aceitando honradamente o seu destino e cedendo a uma despedida afetuosa. Ao dar ao homem a ilusão de que venceu, uma mulher pode esconder a própria derrota."

Ele ponderou por um momento a hipótese, que visivelmente o aborrecia.

"A senhora fala muito sobre derrotas", disse Seingalt, um tanto irritado. E em seguida, não sem malícia: "Por acaso, é perita nessa área?".

"Infelizmente."

"Lamento! Embora não me surpreenda. A senhora trata a alegria com extraordinária severidade. O que tem contra ela? Ela areja a melancolia e purifica o sangue. Como poderia ter esperança de ser feliz, se transforma o amor em algo criminoso?"

"Que bela repreensão!", disse-lhe. "Mas foi o senhor, há pouco, quem deu ao amor uma importância vital."

"Felizmente existem muitas mulheres que se deleitam em ter prazer da mesma maneira que um homem."

"Já lhe ocorreu que elas talvez encenem tudo para não parecer infantis? Que se entregam a um homem para não parecer inferiores?"

Seu corpo se petrificou, como se alguém lhe batesse. Enquanto ele absorvia a extensão dessa idéia, a descrença em seu olhar deu lugar à obstinação e à resistência e, em seguida, à ira. Da ira ele extraiu finalmente novas forças.

"Mas que tipo de mulher é a senhora? Acaso terá se proposto privar-me para sempre de todo prazer? Eu a desafio: se alguma vez fiz mal a uma única mulher, remediarei o dano. Renunciarei a tudo e me casarei com ela."

"O senhor diz então que se casar é renunciar a tudo — e é *a mim* que chama de cínica?"

"Abdicarei da minha querida liberdade e pertencerei a essa mulher pelo resto dos meus dias."

"O senhor esquece que é homem."

"O amor é a minha religião. A idéia de ferir alguém com ele parece-me assustadora."

"Então realmente o fará? Encerrará essa sua vidinha querida se eu puder provar que uma mulher, uma só, uma única, foi vítima do amor que sentiu pelo senhor?"

"Juro-lhe."

"Cuidado! Estou tentada a fazê-lo honrar sua palavra."

"Uma mulher só, uma única, uma entre tantas mulheres que amei e que me tenha reprovado, que tenha escondido algo depois da nossa separação — tente encontrá-la! Mas aviso-lhe: não existe essa mulher. Seria mais fácil extrair ouro de enxofre."

"A alquimia do amor é perigosa. Já vi transmutações mais estranhas."

"Melhor ainda... por que não me pôr à prova a senhora mesma? Será o teste definitivo. Conceda-me os favores do seu amor. Deixe-se conquistar e veja se lhe agrada — à senhora, que obviamente se tornou tão pesada pelo sofrimento tremendo que lhe causamos, nós, homens."

As palavras queimavam em meus lábios, mas eu soube me conter.

"Poderíamos criar um jogo", ele insistiu, "e ainda fazer uma aposta sobre o resultado, se a senhora quiser. Quem sabe assim não afasta o tédio ao menos por uma ou duas noites?"

Reagi com indiferença. Abri um livro que estava sobre a mesa e o folheei ao acaso.

"Um homem que jamais fez mal a nenhuma mulher...", disse-lhe depois da pausa prolongada. "Que raridade! Como terá conseguido operar tal milagre?"

"Pondo o livre-arbítrio acima de todas as coisas. Nada é mais valioso para mim. Só quero o coração de uma mulher se ela mesma o oferece. Não que eu não aja em causa própria. A experiência me diz que o desejo pode ser desfrutado em sua melhor forma quando é presenteado com júbilo e avidez. Uma mulher que ama não teme se entregar. Ela se abre, em todos os sentidos da palavra."

"E o senhor se entrega a ela tão integralmente quanto ela ao senhor."

"Quem me dera fosse verdade..." Ele usou de súbito sua oportunidade de se calar e se pôs quase melancólico. Embora o fogo ardesse bem na lareira, resolveu atiçá-lo com mais lenha. Então, admitiu: "Essa capacidade me foi roubada muito cedo".

"Alguém lhe fez uma tal injustiça?", provoquei. "Ao senhor, sempre tão abnegado!"

"Justamente por isso. Ingratidão é o que se recebe em troca da abnegação!"

"Quer me fazer crer que o senhor é aquele espécime singular de homem, aquele exemplar único que dá sem querer receber?"

"Entrego-me sem expectativas."

"De fato, o que poderia esperar, se não nos entrega o mais importante de tudo?"

"Dou o suficiente. E sou extremamente generoso em meus favores."

"Alegra-me saber. Mas talvez a nós, mulheres, fosse preferível se o senhor nos presenteasse com sua própria pessoa."

"Bem, quanto a isso, tomo minhas precauções. Aprendi bem cedo. Fui sempre eu a vítima dos artifícios femininos."

"Sempre?"

"Sempre."

"De todas as mulheres?"

"Sem exceção."

"O senhor possui uma maneira estranha de fazer elogios, monsieur. Suspeita também de mim? Quando me convida a testar o seu amor, espera, ao mesmo tempo, que eu o engane."

"Qualquer jogo se torna mais excitante quando ambos os jogadores estão perfeitamente familiarizados com as regras."

"Cínico! E alguém já o terá amado por si mesmo?"

Ele estava bem próximo de mim e, enquanto ponderava minha pergunta, olhava diretamente nos meus olhos, como se pudesse ver através do véu. Pela primeira vez ele me assustou.

"Pensava que sim", respondeu. Pude sentir sua respiração. "Há muito tempo..."

"E...?"

"...e fui enganado."

Ali estava ele, aparentemente perplexo. Mas sua estratégia era transparente para mim.

"Muito esperto, chevalier, mas sou mais astuta. Toda essa história visa despertar minha compaixão, não é verdade?"

"Se assim fosse, ao menos não teria sido em vão." Ele deixou o rosto pender ligeiramente e ergueu os olhos para mim como um cão de caça que espera a recompensa depois de ir buscar a presa abatida.

"Uma grande charada", disse-lhe em tom punitivo, "que criaria em mim a necessidade de consolá-lo. É de tirar o chapéu! Quase funcionou. Por um momento, tive de fato o impulso de lhe provar que sou uma mulher digna de merecer sua confiança. Admito, o senhor me pareceu quase convincente. Com quantas mulheres esse truque já funcionou?"

"Perdi a conta", disse em com jovialidade, sugerindo que dava a cena por encerrada.

Eu ri: "Nós somos parecidos".

"Então já sofreu uma decepção como a minha?"

Calei-me.

"E com certeza conquistou muitos corações masculinos com sua história."

"Sua vida, monsieur, é pura comédia. Essas tristezazinhas não passam de entreatos. Meu drama é um pouco mais sério. Um homem pode tirar proveito de suas derrotas. A vida sempre lhe dará uma nova chance. Para uma mulher, cada batalha é absoluta."

"Adiante, conte-me! Deixe que sua história se torne uma lição para mim."

"Impossível. Nenhum mortal jamais a ouviu."

"Conte-a pela primeira vez a alguém que ame a senhora."

"Com certeza o farei. Vou revelá-la no dia em que me oferecerem um amor incondicional."

"Darei o melhor de mim para me habilitar a esse dia."

"Então ficará desapontado mais uma vez."

"Sua imagem dos homens é inclemente."

"Exatamente como a sua imagem das mulheres. O que não o impede de querê-las para si."

Nesse momento ouvimos um grito atravessar a janela. Em seguida o chão pareceu tremer e ouvimos um barulho de madeira que se rachava. Seingalt correu para fora, eu o segui. Uma rajada de vento erguera uma das carruagens e ela se arrebentara contra a casa de panificação. O cocheiro, que se abrigara da chuva ali dentro, estava agora estirado no chão, sob os estilhaços do carro. Gritava por ajuda. Estava gravemente ferido. Fomos os primeiros a chegar em seu auxílio. Fora atingido por diversas traves de madeira. Parte do eixo das rodas penetrara sua perna e lhe rasgara a pele quase de alto a baixo. O sangue espirrava desenfreadamente das veias abertas. Levantei a saia e rasguei o tecido em três tiras grossas. Ordenei ao chevalier que pressionasse a carne com toda a força. Ele hesitou. Minhas ações pareciam surpreendê-lo — devia ver em mim uma dessas mulheres refinadas demais para encarar a vida. Amarrei firmemente a ferida, para estancar o sangramento, e retirei todas as farpas que pude. Por fim, carregaram o infeliz homem e mandaram chamar um médico.

Só então, depois de ele parecer a salvo, fui tomada de medo. Tremia. Por um instante, estivemos os dois, Seingalt e eu, sozinhos no meio da noite. Ele me abraçou cautelosamente. Não resisti. Fez-me um elogio. Nesse momento, os cavalos, ainda presos, relincharam como se pressentissem a aproximação do mal, e um segundo mais tarde um vento fortíssimo arrancou telhas e galhos. Meu vestido se encheu como uma vela, o que me fez ser empurrada e lançada alguns metros à frente. Seingalt, que tentou me amparar, acabou tragado pela mesma corrente e nos vimos assim, os dois, esparramados na lama, feito idiotas. Caímos na gargalhada, era o que podíamos fazer. Sua cabeleira loira quase lhe cobria o olho. Ele a retirou.

Seus cachos curtos e negros ficaram à vista.

Seus olhos captavam a luz de uma lanterna.

A sombra de seu nariz contrastava nitidamente.

Uma rajada de vento cortou minha respiração. Busquei ar com dificuldade.

"A senhora não acredita que um homem possa lhe querer bem", disse ele, apertando-se contra mim e encostando o rosto com delicadeza em meu ombro. Era escolado no ofício e sabia o momento exato de atacar. "A senhora evidentemente nunca encontrou um homem que fosse digno do seu amor."

"Evidentemente."

"Sinto-me então como que escolhido para ser o primeiro."

"Não desperdice suas energias."

Levantei-me e entrei sozinha na casa. Desculpei-me com os convidados e saí, com o pretexto de que precisava me recompor. Na verdade, sem ser vista, peguei o manto e desci até a cozinha, onde estavam reunidos os cocheiros. Nenhum deles tinha coragem de sair para me levar de volta a Amsterdã. Minha partida, contudo, não podia ser adiada em hipótese alguma. Andei na direção dos estábulos e escolhi um cavalo forte. O cavalariço-chefe se recusou a selá-lo para mim. Não queria arriscar seus animais numa noite como aquela. Mas eu sobrevivera a tempestades muito mais fortes. Saltei sobre um animal e meti-lhe a espora. Cavalguei como havia aprendido a cavalgar em Pasiano, agarrando as crinas com as mãos.

O desastre se espalhava ao longo do Amstel. As ondas se quebravam nas margens e alcançavam a estrada. Sete pessoas morreram naquela noite. Mas era lua cheia e as nuvens corriam lá no alto. Eu cavalgava como que em transe. No caminho, perdi o véu, levado pelo vento. A chuva batia em meu rosto e castigava minha pele, mas eu não tinha por que me preocupar: ninguém me via. Naquela noite pelo menos, o frio me bastava como máscara e eu me deliciei.

4.

Houve um outro ano em que tudo mudou.

Na primavera de 42 a condessa de Montereale veio para Pasiano mais cedo que o habitual. Já na primeira semana de abril nos foi ordenado que preparássemos a casa, e quando ela chegou de Veneza trouxe consigo um séquito numeroso de artistas e trabalhadores. Os empregados de Pasiano foram reunidos, e nos disseram que trabalharíamos todo o verão sob a direção dos venezianos. E eles logo começaram a nos dar ordens. As tapeçarias deviam ser retiradas, as pinturas removidas e os candelabros abaixados. Os tapetes deviam ser enrolados. Todos os objetos de madeira foram repintados e as paredes se recobriram de seda bordada. Os tanques foram esvaziados; as bacias foram limpas, pintadas de azul-claro e providas de água cristalina. Duas novas fontes foram instaladas, e nos gramados, seguindo a moda francesa, plantaram-se fileiras muito retas de pequenos arbustos. Depois que as árvores de frutos cítricos foram novamente podadas e transferidas para enfeitar as escadarias, a estufa se transformou em salão de festas.

A condessa andava extremamente ocupada. Estava sempre em seus aposentos, e pela primeira vez não me foi possível simplesmente estar na companhia de minha "tia", como acontecia antes. Dois secretários que eu nunca vira impediam-me de chegar até ela. Certa manhã, me foi concedido o prazer de vê-la. Peguei a bandeja com o desjejum que a criada ia levando, entrei no quarto sem bater e pulei na cama para despertá-la com um grande beijo. Demorou um pouco até que acordasse completamente, mas então deu mostras claras de que estava encantada em me ver e se pôs finalmente a explicar o motivo de tanta comoção.

Adriana de Montereale conquistara um excelente partido. Todo o cuidado, o tempo e o dinheiro investidos em garantir uma posição para ela no mercado matrimonial de Veneza seriam finalmente restituídos no outono. O casamento, através do qual ela passaria a pertencer à nobreza veneziana, seria realizado em setembro, e por isso a condessa ofereceria ao jovem par uma festa em Pasiano que não poderia deixar nada a dever às festas do Grande Canal.

Ela não me pareceu nem um pouco feliz ao contar as novidades. Na verdade, estava ansiosa e tensa. Descrevia tudo como provação, não como festejos de matrimônio. A idéia de que todo o trabalho dos meses por vir seria empreendido com o objetivo de emular seu círculo de conhecidos de Veneza fazia com que lágrimas lhe jorrassem dos olhos. Empurrei-a de volta contra os travesseiros, fiz-lhe uma massagem e, reencontrando nossa boa e velha intimidade, disse-lhe da minha surpresa: não compreendia como uma pessoa tão sábia e calma como ela podia ser pressionada a agir simplesmente para satisfazer os caprichos da cidade grande.

"Ah, minha criança", suspirou a condessa, enquanto se entregava à minha massagem. Eu sentia sua pele relaxar sob a pressão dos meus dedos. "Você é boa e simples. Graças a Deus, mora aqui e não em Veneza. E nem imagina a falsidade e a malícia que vigoram lá."

"Lá? Em Veneza?" Quase não podia acreditar nos meus ouvidos. "Lá onde todo mundo é tão feliz?"

"Você não faz idéia do ciúme que existe entre pessoas às quais nada falta. E a cada temporada está pior. Tudo é aparência. Os homens conquistam seu posto e sua posição em conciliábulos, mas essa é apenas metade da batalha. O poder de que usufruem depende da reputação que conseguem construir, e essa reputação deriva da opinião que se emite a respeito deles nos chamados círculos cultivados. É aí que as mulheres entram em combate.

"Os bailes de Veneza são uma praça de guerra. Cada salão é uma baía de águas aparentemente tranqüilas onde todos velejam com pompa, mas sempre em guarda, sempre vigiando a movimentação das fragatas inimigas. Todos bebem, dançam e se divertem com jogos galantes, mas é uma batalha o que se trava ali. O vencedor reina soberano e desfruta dos resultados ao longo da temporada. Nesse período, resta aos demais almejar vantagens apenas relativas e tentar garantir o futuro através de alianças com as pessoas apropriadas. A luta, a essa altura, desconhece a compaixão. Todos os meios se justificam. Para as mulheres, existe uma única e duríssima regra: tudo se decide pela aparência. A beleza é a arena em que elas se digladiam."

Assim a condessa descreveu o terrível cenário bélico, enquanto eu prosseguia nas massagens. Ela exagerava, pensei, mas o problema, de todo modo, estava longe de me dizer respeito. Eu era livre. Tanto quanto podia saber, ninguém jamais me julgara. Essas aflições me eram praticamente estranhas. Além disso, tinha catorze anos, idade em que também eu preferia um jovem de bela constituição a um varapau bem-nascido, de sorte que me pareceu natural e saudável haver aquela distinção com base nas aparências. Essa reação sem dúvida soou um tanto leviana e frívola, pois a condessa se levantou e segurou minhas mãos como se tivesse medo.

“Você não tem idéia de como isso pode ser cruel”, disse. Pôs meus braços ao seu redor. Por um instante, pareceu que eu era a mais velha e que era ela a menina à procura de proteção. “Sim, tudo reluz nessas festas, tudo brilha e tilinta como os tesouros sob as cúpulas de San Marco. Mas no ouro, no esmalte e no pórfiro que decoram as paredes santas, não se vê a quantidade de sangue derramado para adquiri-los durante os saques às cidades do Levante. Assim também, com a mesma facilidade se esquece que nas salas dos *palazzi* cada sorriso gentil é conquistado com suor e lágrimas. Como você haveria de saber, querida criança, que receber ou não um convite para esta ou aquela *soirée* pode significar a salvação?... Mas o que estou dizendo? Ser excluído pode destruir uma vida! Na última temporada, ocorreu o caso terrível do filho de... Não, jurei não repetir jamais esse nome, mas acredite no que lhe digo, por favor: era uma das famílias mais eminentes. Seja como for, o pobre rapaz havia encontrado a mulher de sua vida. Era realmente uma menina de extraordinária beleza — estavam todos de acordo —, a não ser por uma marca de nascença, uma coisa repugnante de coloração roxo-avermelhada que se estendia até a altura do pescoço... Nenhum tipo de gola conseguia encobri-la. Imediatamente depois do anúncio da união, as línguas se puseram a trabalhar. O posto de embaixador de Chipre, prometido ao rapaz, foi dado a outro; a noiva, aos olhos de todos, parecia indigna de representar a Sereníssima República. Por causa dessa marca o pai dele retirou sua bênção à união do casal, acabando irremediavelmente com a felicidade dos jovens. Naquela mesma noite, os dois remaram lagoa adentro e logo depois de Mazzorbo morreram no pântano, afogados.”

Ela ficou em silêncio. Fechei os olhos, como se a qualquer instante os pobrezinhos pudessem surgir flutuando no canto do quarto.

"Não consigo imaginar...", eu disse horrorizada. "Por que alguém desiste da vida só por amor?"

"E que outra razão haveria, minha querida?" Ela me olhava surpresa, com sincera incompreensão. "Por Deus, que outro motivo faria valer a pena?" Somente agora ela se dava conta da diferença de idade entre nós, e então beijou minha testa num gesto tranqüilizador, como quem acalma seu cachorrinho de estimação.

"Sempre rezei e continuo a rezar todos os dias para que Adriana permanecesse intacta até a hora do casamento. Mandei que a benzessem e encomendei tantas missas... e agora parece que realmente, sim, com a graça de Deus, parece que..."

"Mas por que então provocar o destino, senhora?", perguntei. Eu nunca ouvira falar daqueles círculos e não entendia suas motivações ocultas, seus interesses escusos. "Adriana não poderia ter crescido aqui? Em Pasiano, não seria preciso ter medo de nada. Não entendo. Se Veneza é assim, se é um ninho de cobras, por que a senhora sempre passa o inverno lá?"

"Por quê?", disse ela em tom baixo. "Sim... Por quê? Pode-se escolher a vida no campo. Mas é necessário ter muita coragem."

Achei graça e ri: não podia imaginar nenhum lugar menos perigoso do que Pasiano. Ela, porém, sustentou sua posição.

"Escolher um caminho que hoje ninguém mais segue e ser capaz de concretizá-lo, isso exige mais forças do que jamais consegui reunir na vida."

Ajudei a condessa a se vestir. Em seguida, deixei-a para auxiliar nos trabalhos da casa. Por um bom tempo, entretanto, o prazer simples das pequenas tarefas se esquivou de mim; só foi voltando à medida que as festividades se aproximavam.

No início de agosto os fornecedores trouxeram os vinhos da Champagne e da Ilha da Madeira. A cada noite chegavam músicos diferentes para demonstrar seu repertório, enquanto nós, os empregados, nos deitávamos no campo para recuperar as forças depois da jornada de trabalho árduo. Duas semanas mais tarde, chegou um batalhão de cozinheiros, além de baús repletos de pratarias e a porcelana chinesa que a família costumava usar em Veneza. Costureiras vieram tirar as medidas dos empregados da casa e lhes fornecer novos uniformes.

No final do mês chegou Adriana, acompanhada de seu professor, monsieur de Pompignac. Enquanto ela disparava escada acima, o francês tropeçava nervosamente atrás dela, como se quisesse lhe dar os últimos retoques de civilização antes de devolver sua criação à casa dos pais.

Não muito depois foi a vez do velho conde Antonio, que vinha de Milão. Eu já o vira umas poucas vezes, mas ele nunca havia prestado atenção em mim. Não se hospedou nos aposentos da condessa, mas na ala oposta. Uma tarde, mandou me chamar e me fez sentar em seu colo. Ria para mim repetidamente, porém sem demonstrar amizade, e assim que pude me soltei e fui embora dali.

Naquele mesmo dia foram entregues cinco carruagens novas para transportar os convidados, todas puxadas por uma parelha puro-sangue. O mensageiro L'Aigle, rapaz atraente, a serviço do conde Daniele de Parma, trouxe catorze presuntos. Outro chegou de Áquila com açafrão e um esloveno veio trazer greda para o ruibarbo. Toda manhã ouviam-se os gritos de morte dos animais abatidos nas fazendas próximas. No início da tarde, suas carnes chegavam à cozinha. Minha mãe fazia com que os melhores pedaços fossem devidamente salgados, para que se conservassem, enquanto o resto era moído e utilizado nas tortas. Meu pai liderou uma expedição ao topo das montanhas perto de Zoldo, entre Cadore e Ampezzo. Àquela altura do ano, ele e seus homens foram obrigados a escalar grandes altitudes, mas no fim retornaram com tanto gelo que, mesmo depois de lotar os porões, ainda sobrou nos estábulos uma enorme pilha que se recusava a derreter. Nos dias quentes os rapazes encarregados dos cavalos iam lá se refrescar. Eles fizeram para mim uma espécie de rampa e pareciam experimentar um prazer sem fim em me ver escalar de saias o morrinho e, em seguida, escorregar lá de cima numa tábua.

Despreocupada, eu me deleitava com a agitação. Não me lembrava de diversões tão deliciosas desde o ano da feira que tinha vindo a Conigliano. Assim, minha amada Pasiano assegurou que aqueles meses deixassem impressões indeléveis em mim, como se soubesse que seria aquele o meu último verão inteiramente livre de preocupações.

Mas o auge da minha felicidade ainda estava por vir. Ele chegou na primeira semana de setembro, numa carroça de camponeses que quase desaparecia entre os coches tão ricamente ornados que iam e vinham o dia inteiro. Escondida entre a cozinha e as dependências externas, eu espiava todo aquele esplendor quando minha atenção foi atraída casualmente na direção de dois rapazes que saltavam da traseira da carroça, do lado de fora dos portões. Deram um par de moedas ao camponês que os trouxera, espanaram os grãos de trigo da roupa e caminharam para o pátio principal com ares de quem acabava de descer de uma carruagem dourada. Acho que ri tão alto que traí meu esconderijo, pois um cutucou o outro, apontando na minha direção. Este segundo rapaz tirou o chapéu. Para mim. O chapéu! Tirou o chapéu e o segurou por um instante no ar, fazendo uma pequena reverência com a cabeça e mantendo o tempo inteiro o olhar fixo em mim. Dentre as muitas cortesias que desfrutei desde então, será desta que me lembrarei em meu leito de morte. Ninguém jamais me rendera homenagem. Eu tampouco alimentava qualquer expectativa a respeito, mas agora que havia acontecido já não compreendia como fora possível nunca ter sentido falta de tais honras. Comecei até a duvidar se antes alguém de fato havia reparado em mim. O rapaz, naquele momento, também caiu na risada. Encostou um dedo nos lábios, implorando-me sigilo sobre a sua pobreza, e piscou graciosamente, sugerindo que esse pequeno segredo selava um pacto entre nós dali em diante.

Insolentes, atrevidos como os cachorros, que não perguntam se podem entrar, os dois caminharam na direção do meu pai e lhe disseram seus nomes. Aparentemente estavam sendo esperados, pois ele lhes deu as boas-vindas exatamente como havia feito com os outros convidados. Todos eram acompanhados até o salão, onde podiam se recompor com bebidas frescas e aperitivos até que seus aposentos lhes fossem indicados. Assim que meus novos amigos haviam desaparecido das escadarias, corri até meu pai para tentar saber quem eram os dois. Ele adivinhou minha intenção.

"Seminaristas", disse caçoando, mas por fim me revelou a identidade deles: Francesco e Giacomo Casanova. Meu pai pronunciou o segundo nome imitando exageradamente o gesto do chapéu, que não lhe passara despercebido. Ofendida pela zombaria, dei-lhe as costas e saí em busca de minha mãe. Encontrei-a no porão, ocupada com a distribuição dos quartos. Estava parada diante de um grande quadro no corredor central, onde ficavam penduradas as chaves de todos os aposentos. Também ela possuía uma lista de nomes que ia riscando quando vinham lhe dizer que o hóspede havia chegado. Em seguida, fazia um pequeno cartão com esse nome e o pendurava ao lado do número do quarto destinado a tal pessoa pela condessa, que parecia atribuir aos meus novos amigos menos importância do que eles próprios, pois os alojara nos recessos da casa, três andares acima, logo abaixo do telhado. Meu coração desfaleceu. Eu nunca subia até lá, mas sobretudo agora, durante as festividades, quando todas as crianças da criadagem haviam sido terminantemente banidas da casa, o ático seria totalmente inatingível.

Nesse momento, minha mãe foi informada sobre a chegada do cônego de Treviso. Riscou o nome da lista e o anotou num cartão. Para o religioso estava reservado um conjunto de quartos no primeiro andar, mas ela achou um pecado: por que acomodações tão amplas para um homem sozinho? Cogitou então se não haveria alternativa mais modesta para um homem sozinho, não obstante condizente com sua posição. Sugeri o quarto que dava para o jardim, no lado oeste, que possuía uma vista linda, com portas que se abriam para um terraço, e que estava a menos de trinta metros da nossa própria casa...

Um criado veio anunciar a presença de outro convidado. Minha mãe estava tonta. Ofereci ajuda, dizendo-lhe que poderia facilmente pendurar o nome do cônego junto da chave correta.

Meu novo amigo evidentemente não coube em si de alegria quando, no início da noite, indicaram-lhe seu quarto. Talvez preferisse não ser separado do irmão, Francesco, a quem no mesmo momento foi destinado o quarto no ático (a ser compartilhado com o cônego), mas Giacomo o esqueceria rapidamente, tão logo percebesse que estava dividindo um corredor com aristocratas venezianos. Fosse como fosse, abriu as portas do terraço num floreio contente e, com um olhar de aprovação, inspecionou os arredores. Imaginei que estivesse à minha procura, para se divertir ou conversar comigo, mas antes que eu emergisse do arbusto de onde o observava ele se virou, deu uma corrida, gritou algo como um chamamento eqüestre e saltou sobre a cama. Permaneceu deitado até o jantar. Não queria incomodá-lo e me satisfiz com a idéia de que ele descobriria o raminho de lavanda que eu havia posto sob seus travesseiros.

Na manhã seguinte, logo cedo, encontrando as portas do quarto do jardim entreabertas, avancei por entre a ondulação das cortinas. Giacomo despertou quando pus a bandeja na mesa.

Servi o chocolate na xícara e apontei uma tigelinha de geléia de fruta. Eu mesma havia colhido as groselhas na casa de minha tia, em Belluno, mas achei que seria presunçoso demais mencionar isso. Passei-lhe o brioche. Ele o embebeu no leite e começou a comer.

Não disse uma palavra.

E eu continuava ali, parada.

Esperando.

Seus olhos talvez precisassem se acostumar à luz.

Minha expectativa era que me reconhecesse da tarde anterior, mas ele apenas comia, bebia e me observava impassível. A cada vez que o lençol escorregava de seu peito, voltava a puxá-lo quase até o queixo, como se estivesse com vergonha de mim.

"O senhor está satisfeito com a cama?", resolvi enfim perguntar.

"Completamente", ele disse. "Foi você que a arrumou?"

Confirmei com um aceno. E silêncio outra vez.

De repente, me dei conta do que eu devia estar parecendo aos olhos dele. Estava descalça, como sempre, e usava uma camisa e uma saia. Sem coragem de desviar o olhar, corri a mão sobre o fitilho. Estava trançado errado.

"Quem é você?", ele perguntou finalmente.

"Lucia!" Não consegui evitar que minha voz soasse um tanto ressentida. "A filha do zelador!" E, para consertar a situação, continuei a tagarelar. "Não tenho irmãos nem irmãs e tenho catorze anos."

"Catorze", ele disse. "Ótima idade." Seu rosto corou. "Já aprendi isso."

"Fico contente em saber que o senhor não trouxe um criado. Vou servi-lo. Tenho certeza de que ficará satisfeito."

"Não duvido."

Sua reticência me irritava. Como alguém podia ser tão insolente num dia e tão tímido no outro? Via-me diante de duas perspectivas desagradáveis: continuar a fixar aquele olhar desajeitado ou ir embora e tirá-lo da cabeça. Em vez disso, seguindo um impulso, fui me sentar na beirada da cama. No susto, ele recolheu as pernas tão abruptamente que os lençóis se foram, deixando-o quase nu. O pânico com que os puxou de volta e se escondeu sob eles com os joelhos dobrados me fez dar uma gargalhada.

Ao mesmo tempo, naquele instante tive a intuição de que o momento que eu vivia era de grande importância em minha vida. Desconhecia as palavras para descrevê-lo, mas de algum modo eu soube que me lembraria dele. Era um sentimento novo, embora imediatamente familiar. Como se eu tivesse sido invadida por algo que na verdade já conhecia desde o nascimento. O que de súbito se tornou evidente para mim foi isto: que havia sido eu quem despojara Giacomo de sua coragem. Que não havia para nós uma infância em que poderíamos ser amigos como até ali. Algo nos distanciava e nos atraía, em igual medida. Era a primeira vez que eu experimentava um sentimento assim e no mesmo instante compreendi: era irreversível. Nunca mais poderia simplesmente brincar com todos, com qualquer um. Essa consciência provocava em mim, de uma só vez, dor e prazer.

Finalmente, também ele caiu na gargalhada. O gelo se quebrou. Passei-lhe seu robe e por um bom tempo fiquei ali, sentada na beira da cama. Até que meus pais entraram nos aposentos e se puseram a pedir desculpas pelo meu comportamento. Para minha grande surpresa e humilhação, disseram a Giacomo que eu era virtuosa e pura como um anjo. Que minha candura e informalidade provinham inteiramente da minha inocência. Que eu não passava de uma criança e desconhecia certas facetas da vida adulta. A intenção deles era genuinamente boa e decente, mas foi como se tivessem dito que me lavavam todas as manhãs na imundície dos porcos, tal a minha vergonha naquele momento. Meus pais me repreenderam como a uma criança, com doçura, sem esclarecer a natureza do meu erro. Saí dali para vestir roupas mais adequadas, pois percebi que assim o desejavam, embora eu sequer suspeitasse de seus motivos. Para minha sorte, Giacomo não se ofendeu com meu comportamento, como pude constatar um pouco mais tarde, quando o ouvi falar de mim a Francesco, no jardim das rosas.

"Ela é bonita. É obediente. É devota. É o retrato da saúde. Sua pele é branca, seus olhos são negros."

"Essa Lucia me parece perfeita!"

"É o que você pensa", disse Giacomo, repentinamente melancólico. "Ela seria perfeita, não fosse por um detalhe."

"Qual?"

"É jovem demais."

Ele o disse com tanta seriedade que o irmão foi obrigado a rir: "Uma brilhante imperfeição!"

5.

A cavalgada enlouquecida ao longo do Amstel muito me esclareceu. Sob a chuva, uma antiga ferida voltou à tona. Cicatrizes esquecidas se contraíram no frio. O perigo me mantinha alerta. Enxergava perfeitamente o caminho a seguir e todas as armadilhas que escondia. Brilhando na distância, surgiam as luzes de Amsterdã. Durante muitos anos, pensei que essa cidade fosse o meu destino final. Naquela noite, porém, compreendi que minha jornada ainda não se encerrara.

Cada respiração, cada sonho, cada nascimento, cada morte está além do nosso poder de compreensão. Dentre todas as nossas deficiências, é esta a mais perturbadora. Nossa vida é determinada por processos cósmicos que desconhecemos. É um fato aterrorizante. Para restringir nosso medo, desejamos ter o poder de influenciar esses processos.

Isso é magia.

Isso é o que os alquimistas tanto procuram.

Eles buscam transformar as coisas. "Conhece-te a ti mesmo!", escrevem em seus espelhos, e mãos à obra. Com maçarico e balão-de-ensaio, tentam converter uma primeira matéria numa segunda e ainda numa terceira. Não sei nada sobre alquimia, mas afirmo: eles estão no caminho errado.

O que é tangível só se deixa transformar pelo intangível.

A realidade não se deixa modificar a não ser pelo espírito. Sei bem do que falo. Fiz essa descoberta no laboratório da minha própria vida. Para fazer as coisas ficarem diferentes, não é necessário tocá-las; basta vê-las de outra maneira. Por um instante, deixa-se que elas capturem uma luz particular — e pronto. É como o desenho gravado por trás do vidro. De repente, percebe-se que ele está ali e mal se pode acreditar que tenha passado despercebido.

Este é o incompreensível processo cósmico.

Eu o conheço.

Eu o experimentei.

Se o amor é magia, então eu sou mágica.

Assim que a tempestade amainou, pus mãos à obra. Tratava-se de transformar ou ser transformada. Enviei ao chevalier um pedido de desculpas por minha partida apressada e o convidei a continuar o nosso encontro. Não recebi uma resposta imediata, pois ele viajara a negócios até Haia, mas no último dia do mês chegou-me a notícia de que Jacques de Seingalt estava hospedado muito próximo, na Doelenstraat. Mandei dizer que tinha esperança de vê-lo em minha casa e acrescentei, para garantir, que a Holanda era muito mais liberal do que o restante da Europa. As meninas holandesas são educadas no pleno conhecimento dos perigos que ameaçam uma mulher e aprendem a lidar com eles. Como resultado, o costume é receber o cavalheiro em casa, e ninguém vê motivo para escândalo em visitas sem a vigilância da *chaperon*.

* * *

Naquela mesma noite ele se fez anunciar. Vi que a simplicidade de minha casa o chocou, mas nem por isso ele descuidou das regras de cortesia. Nenhuma palavra sua traiu a surpresa diante da minha situação modesta. Notei, é verdade, que se dirigia a mim talvez de maneira um pouco mais terna do que em nosso encontro anterior, mas atribuí isso à incipiente familiaridade entre nós. Eu mesma, apesar de tudo, também me sentia mais à vontade. Havia pedido ao cozinheiro do Cabeça de Vaca que preparasse uma pequena ceia. Quando vieram entregar, Seingalt insistiu em acertar a conta com o rapazinho, e fez isso com tanta presteza e naturalidade que não me senti constrangida nem por um segundo.

Sua maneira de agir estava também mais cautelosa. O tom era igualmente divertido e galante, mas ele já não tentou avançar com tanta avidez em busca dos meus segredos. Diante do contraste flagrante entre minhas posses e minha aparência, ele parecia ter perdido a curiosidade em me interrogar a respeito de minhas aventuras. Aproveitei a circunstância para extrair informações sobre as dele.

"O senhor acha que os anos o transformaram?", perguntei em momento oportuno.

"Os anos, não. As pessoas."

"E como conseguiram isso?"

"Demonstrando-me sua superficialidade."

"De tal forma que o senhor pôde se considerar mais profundo? Ou, no mínimo, mais esperto?"

Servi-lhe o vinho, cujo cheiro ácido não pareceu incomodá-lo.

"Não é preciso ser muito astuto para parecer inteligente", prosseguiu. "As pessoas querem ser enganadas. A insolência, nesse caso, é o mais apropriado. Não, eu me transformei porque perdi o respeito."

"Por elas?"

"Em parte, sim. Mas, conseqüentemente, também por mim mesmo. Não nego que tenha feito uso da boa-fé delas. Sem peso na consciência, enganei os estúpidos, os vilãos e os tolos sempre que me pareceu necessário."

Ele se deleitava com a própria velhacaria, era evidente. Enquanto narrava em detalhe as torpezas que havia cometido por toda a Europa, jamais deixou de exibir um sorriso malicioso.

Mas é verdade: as pessoas parecem fazer fila para ser enganadas. Eu própria tirei proveito disso. O rápido desenvolvimento da ciência neste século dilacerou o nosso íntimo. As almas simples — como eu fui um dia — não põem em dúvida o que sentem. Os únicos mistérios pelos quais se interessam são os que afetam sua vida cotidiana. A tudo reagem impulsivamente, como fizeram durante gerações, e tudo o que não conseguem enfrentar dessa maneira, entregam nas mãos da Providência. As novas descobertas, entretanto, contradizem essas emoções; até mesmo a existência de Deus deixou de ser uma certeza hoje em dia. Entre as pessoas que mergulham nessas revelações, muitas há que acabam por se tornar perturbadas. Elas têm suas dúvidas, mas ainda não ousam confiar no próprio discernimento e não são capazes de abandonar inteiramente a fé, mesmo que esta as abandone. Essa gente me lembra um caçador que vi há muito tempo. Aventurando-se a seguir rio abaixo quando o inverno já terminava, ele tentava manter o pé direito num bloco de gelo e o esquerdo em outro. Incapaz de se decidir onde deveria pisar, se neste ou naquele bloco, afogou-se. Do mesmo modo, muitos dos nossos novos pensadores estão sem rumo. Buscam apoio simultaneamente em duas margens: a da razão e a do sentimento. Tentam usar a ciência para obter provas de uma realidade espiritual. Eis aí a chave do sucesso de que desfrutam mágicos, alquimistas e charlatães do gênero, não entre os ignorantes, mas entre os instruídos. Assim, enquanto eles reivindicam ter sido iluminados pela razão, essa luz pode não passar de fogo-fátuo.

Seingalt prosseguia seu relato pormenorizado sobre todos os simplórios aos quais fizera justiça livrando-os das veleidades que porventura tivessem. Parecia acostumado a colher aplausos por essas anedotas burlescas, mas eu o interrompi, menos interessada que estava em suas fraudes de sedutor do que no homem que as executara.

"O senhor não acha", sugeri, "que é tentadoramente simples mudar de aparência quando se viaja?" Ele me fitou por um instante, sem se atrever a perguntar a que eu me referia ou como podia saber disso. Por um instante, temi que minha franqueza tivesse despertado suspeitas. "Para mim, pelo menos", acrescentei, "foi sempre um grande consolo imaginar que é possível deixar tudo para trás e — se necessário — literalmente livrar-se da existência anterior, como uma cobra abandona sua pele antiga entre duas pedras."

"É verdade, a cada novo lugar existe a possibilidade de se fazer passar por alguém diferente. Ninguém conhece a pessoa, e todos querem enquadrá-la o mais rápido possível. Todos sentem essa necessidade e acreditam, avidamente, naquilo que lhes é contado. E, se exigem provas, uma simples carta de recomendação com um nome sonoro faz o resto. Assim, é possível — em teoria — ser médico num país, cantor de ópera no próximo e, a três dias de viagem dali, jurista."

"E quanto a nós, aqui na Holanda, o senhor quer nos fazer crer que o Estado francês o enviou como banqueiro à Bolsa de Amsterdã", provoquei. "Deve considerar o nosso intelecto especialmente raso, se nem ao menos se deu ao trabalho de exibir uma identidade mais plausível."

"Felizmente, tenho como prova notas promissórias no valor de vinte milhões de francos..."

"Guarde suas forças, monsieur, não tenho uma mísera moedinha para penhorar. Assuntos financeiros não me interessam. A minha bênção, digamos assim, o senhor já a tem, mas também lhe digo francamente que não gosto de ser enganada. Seu nome, por exemplo, é francês, mas o sotaque denuncia que o senhor não provém originalmente da França."

Ele admitiu e me disse seu verdadeiro nome. Ouvi impassível. Explicou que trocara havia pouco a identidade italiana pela francesa, em razão de seu envolvimento com o Estado.

"É uma sorte, entre azares, que eu não tenha posses nem influência", disse-lhe. "Caso contrário, seria inevitável pensar que suas atenções para comigo são ditadas pelo interesse."

"Como se eu não tivesse todo o interesse em conquistá-la!"

"Saiba, então, que eu me rendo somente à verdade. Tudo o mais é derrotado do lado de fora dos portões."

Ele caiu na gargalhada.

"Existe sempre uma outra verdade."

"Pois foi o que pensei", disse-lhe. "Há sempre outra."

"Talvez a senhora prefira esta..."

Ele começou a contar uma história absurda sobre uma velha parisiense, uma certa madame d'Urfé, que se perdera nas artes ocultas e acreditava possuir a pedra filosofal. A mulher se deixou encantar cegamente pelas artes de Seingalt, a ponto de acalentar a esperança de que ele faria sua alma renascer após a morte num corpo masculino. Para financiar a futura aquisição de todo o aparato necessário à nova situação, madame d'Urfé lhe pedira que liquidasse todas as ações dela da Companhia das Índias Orientais.

Ao terminar, ele me olhou sem pudor.

"Desse relato, nem uma palavra sequer é mentira", disse-me, "mas isso por acaso o faz parecer mais verdadeiro? Compreende por que considero tolice apegar-se à verdade, quando um toque de fantasia pode torná-la tão mais plausível?"

"*Touché!*", admiti com franqueza. "O senhor está certo, a realidade costuma ser mais singular do que a imaginação." Eu havia aprendido isso com a vida, e a própria presença de Seingalt em meu apartamento era a prova viva desse ensinamento. "Seja como for", prossegui, "mais uma vez, posso incluir outro nome na longa lista de mulheres que o senhor enganou. Pobre madame d'Urfé."

"No que diz respeito às mulheres, senhora: o engano é mútuo e não conta, pois, se há amor em jogo, ambas as partes são lesadas. No que diz respeito a madame d'Urfé: as coisas são diferentes quando se trata de tolos. Eles são desavergonhados e suas presunções extrapolam qualquer descrição. Quando enganamos um tolo, vingamos a razão.

"Ela não crê que o senhor a ama?"

"Não. Acredita que eu seja um mago."

"E o senhor é?"

"Para os que querem me ver assim, com toda a certeza."

Ri. O que pareceu irritá-lo.

"Não zombo da confiança que depositam em mim", disse com toda a gravidade. "Eu ficaria consternado se lhe causasse essa impressão, senhora. Não é tão absurdo existirem pessoas que me considerem digno de ajudá-las. Com o passar dos anos, tornei-me competente em várias áreas úteis — a química, por exemplo, que me permite realizar experimentos de impacto, ou a criptografia, que me habilita a decodificar as mais complexas fórmulas. Afora isso, e apenas porque julguei importante para o meu desenvolvimento pessoal, estudei a cabala e os escritos de Lull e Hermes Trismegisto."

"Em benefício de sua charlatanice, o senhor despende o tempo que for necessário."

"Construí meu conhecimento apenas para meu próprio bem, acredite-me. Nada além de puro interesse próprio. Tenho uma curiosidade insaciável. Se outros também se beneficiam dela, tanto melhor."

"Muito nobre", repliquei com desdém.

"Sempre tive a nobreza na conta de uma virtude superestimada, principalmente quando nasce em berço de ouro. Nunca fingi pertencer à parte correta da humanidade. Não encorajo ninguém a acreditar em mim, mas, nestes tempos que vivemos, há muita gente que busca desesperadamente um apoio. Não menosprezo essa questão. A minha própria vida, devo-a ao fato de que um dia acreditei em alguém que me ludibriou. Eu tinha... oito anos..." Sua voz agora soava mais tênue, como se procurasse as palavras. Ele as achou, como se houvesse buscado por entre imagens que resistiam a voltar à memória. "Oito anos... Uma noite, eu estava no meu quarto, em pé. Olhava fixamente para o chão. Pingava sangue no pavimento, e eu ia contando as gotas. Tentava seguir com os olhos o trajeto de cada uma delas. De repente, percebi que se tratava do meu sangue. Escorria sangue do meu nariz — lembro-me como se fosse hoje. Eu estava num canto do quarto, ao lado da janela, e com voz trêmula chamei minha avó, que lavou meu rosto com água fria. Ao perceber a gravidade do meu estado, saiu comigo pela cidade, atrás de uma velha que morava num casebre. A mulher estava sentada na cama, com um gato preto no colo. Era uma bruxa. Minha avó lhe deu algum dinheiro e ela em seguida me prendeu dentro de um baú. Enquanto isso, eu já havia perdido tanto sangue que me sentia tonto. De tão fraco, faltavam-me forças para ter medo. Só me restava escutar, com um lenço apertado contra o nariz, os sons que vinham de fora: cantoria, gritos, risos, choro, batidas regulares em cada lado do baú. A bruxa, por fim, me tirou dali. O sangue estancara. Ela me abraçou, me despiu e me deitou na cama. Começou então a queimar ervas, capturando a fumaça com os lençóis em que me envolvera. Depois, me deu cinco pastilhas de sabor bastante agradável. Os sangramentos parariam, disse-me ela, se eu jamais contasse nada a ninguém sobre aquela noite; porém, se viesse a pronunciar uma única palavra a respeito, minhas veias se esvaziariam e eu morreria. Deixou que eu fosse embora prometendo-me que naquela mesma noite eu receberia a visita de uma mulher encantadoramente bela, de quem dependeria a minha felicidade. E assim foi. Ela apareceu no início da manhã. Vi — ou, ao menos, pensei ver, não importa — quando um ser de beleza deslumbrante surgiu de dentro da lareira. Trajava um lindo vestido de aro amplo e uma coroa cravejada de pedras preciosas faiscantes. Entregou-se imediatamente a um longo discurso do qual não entendi uma palavra e, com um beijo em minha testa, partiu da mesma forma como havia chegado."

Ele me olhou em expectativa, como que surpreso de ter podido contar a história sem interrupções.

"E eu então adormeci", acrescentou. Havia abaixado o tom de voz, quase sussurrava. Segurou minha mão. Era impossível, através do meu véu, ver que eu estava comovida, mas ele bem que suspeitou e quis me acalmar.

Jamais conheci outro homem capaz de compreender tão bem uma mulher.

"O remédio para doenças graves nem sempre é encontrado nas prateleiras do boticário", prosseguiu, "e desde aquele episódio, ciente desse fato, jamais trato levianamente a credibilidade que me concedem, pois, quando se é agraciado com a confiança de uma pessoa, uma simples sugestão pode ser suficiente para destruí-la ou para curá-la."

A essa altura, não pude mais me conter; fui tomada por lágrimas e soluços. Seingalt se assustou: não tinha como adivinhar por que justo aquela história, entre tantas que narrara, havia me emocionado tão profundamente. Indeciso sobre como agir, ele estava ali diante de mim, desconfortável como um menino confrontado com as conseqüências de sua travessura.

"Muitas coisas que só existem na imaginação", completou, "depois se tornam reais..."

Eu respirava a custo, tentava reunir forças para me apaziguar, para atar seus lábios e impedir que ele prosseguisse, mas em vão. As conseqüências de cada palavra que eu viesse a articular desfilavam em minha mente; o medo que tive estrangulava minha garganta. Já não sabia o que seria mais sensato naquela situação e não fui capaz de achar uma única palavra livre de perigos. Tudo o que consegui foi morder os lábios e me manter quieta na cadeira, sem nem ao menos enxugar as lágrimas do rosto. Tudo para fazê-lo pensar que minha forte emoção era um desses caprichos comuns nas mulheres e que já passara.

"...e outra prova me foi concedida cerca de oito anos mais tarde, quando reconheci no rosto do meu primeiro amor a formosura que me visitara na infância."

"Belo quadro", eu disse por fim, conseguindo me recompor porque agora sua fala me irritara. "Apaixonar-se por um rosto que supostamente se conheceu em sonhos? Parece-me bastante superficial."

O comentário o desnorteou. Seingalt começou a se defender. Provavelmente estava acostumado a mulheres que com essa cantilena sensível se enchiam de tanta ternura que logo se entregavam. E eu confirmava a suspeita de que tudo nele eram estratégias para melhor conquistar.

"Quando o seu amor não passa de um rosto que o senhor reconhece porque, por coincidência, no passado sonhou com ele, então não resta nada de muito lisonjeiro à pobre moça. Acaso ela possuía, por si mesma, alguma qualidade?"

"Não, não, nunca foi minha intenção dizer..."

"Por que se apaixonou por ela então?"

"O que me recordo eu de tudo aquilo? A senhora me interroga sobre o meu primeiro amor e muitos outros vieram depois."

"Sem dúvida", repliquei. "Talvez deva perguntar o que ela viu no senhor, pois, isto sim, é algo de que os homens em geral têm mais facilidade em se lembrar."

Falamos ainda a respeito de uma coisa e outra, mas a atmosfera amistosa havia desaparecido. Deixei transparecer que a visita terminaria sem que ele atingisse seu objetivo. Além do mais, já era tão tarde que a qualquer momento Giovanna e Danae apareceriam para me entregar os ganhos da noitada. Nessas circunstâncias, as meninas parmesãs podiam parecer extremamente cansadas, usadas, ordinárias. Não queria que o *chevalier* as visse nesse estado de descuido, de desleixo. Assim, despedi-me e o acompanhei até a porta. Ele já estava quase na rua quando pareceu se lembrar subitamente de algo. Voltou-se uma última vez:

"Amei o meu primeiro amor porque ela me serviu um copo de água."

"Água como base do amor?", retruquei com escárnio. "E o surpreende que o amor não tenha durado?"

"Um dia ela me serviu água. Era um copo simples, mas ela o segurou contra a luz, como faríamos com uma taça. Olhei também, mas nem com a melhor boa vontade do mundo descobri o que ela via nele. 'A água toma a forma daquilo que a contém.' Seu tom era de reverência. 'Um instante atrás, tinha a forma da jarra. Agora tem a forma do copo.' Disse-o como se me mostrasse alguma maravilha. Eu ri dela. Chocada, ela ergueu os olhos. As lágrimas saltavam. 'Me parecia um milagre. Sempre fiquei muito admirada com isso. A água no riacho tem a forma das margens. Na minha mão, tem a forma da palma da mão.' Ela estava realmente transtornada. 'Parecia tão maravilhoso... Queria partilhar com você, e agora você me acha uma tola.' Neguei com veemência, mas sem conseguir serená-la. 'Não levei a mal...', ela soluçava. 'É só que... Sempre achei isso tão bonito... E agora se tornou comum.'"

Monsieur le chevalier de Seingalt continuava parado na rua, com o chapéu na mão. Chovia, mas ele não parecia notar. Seus olhos insistiam em descobrir os meus através do meu véu.

"Por que razão um milagre deixaria de ser milagre apenas porque outra pessoa não o vê?"

6.

Meus pais pareciam se entender com Giacomo. Ainda conversavam com ele quando voltei ao quarto. Eu havia me lavado e prendera o cabelo. Tinha posto um vestido limpo e calçava sapatos, aos quais não estava acostumada.

"Melhor assim?"

Fiz um pequeno volteio, na expectativa de colher aplausos. Giacomo deu umas palmadinhas na colcha, indicando que agora eu podia me sentar tranqüilamente em sua cama.

"Toda vestida?", perguntei, tentando soar altiva. "Não, senhor, não. Tudo me parece muito bem e muito bom se o senhor gosta assim, mas sentar-me em sua cama com as minhas melhores roupas, isso não, senhor, é honra demais para mim."

Minha resposta pareceu divertir a todos.

"Está muito mais apresentável do que de camisola, não é verdade?", indagou minha mãe. O jovem abade me examinou da cabeça aos pés e vi que não era da mesma opinião. Quando chegou um criado para lhe pentear o cabelo, nós três nos retiramos, porém mais tarde, no mesmo dia, voltei para arrumar a cama. Deixei ali um vasinho com flores frescas e um sininho de metal.

Na manhã seguinte ele tocou a campainha, pedindo o desjejum. Para servi-lo, resolvi vestir o que mais lhe agradava. Sentia-me muito mais segura do que na véspera e, sem ser convidada, sentei-me ao pé da cama. Conversamos assim por um bom tempo. Ele também parecia bem mais à vontade, e quando mudei de posição, passando a escutá-lo deitada de bruços, a cabeça apoiada nas mãos, ele veio deitar ao meu lado. Contou-me que havia estudado direito em Pádua e se formara recentemente, pouco antes de completar dezessete anos. E não era tudo: o próprio patriarca de Veneza fizera a tonsura no rapaz-prodígio e lhe conferira as ordens menores.

Quando perguntei se tinha planos de entrar para um mosteiro, sua resposta foi soprar dentro da minha camisola, para enfuná-la e obter uma visão melhor do interior. Tirei-o dali com um empurrão, e brincamos de luta até perder o fôlego. Isso foi tudo. Exaustos, deitamo-nos então lado a lado até recompor as forças.

Eu lhe contava sobre o meu avô e os espelhos do salão quando de repente senti sua mão no meu peito. Assustada, recuei e me contraí, mas a mão prosseguiu. Eu ainda não estava plenamente formada, sabia bem, mas isso nunca me parecera tão doloroso. Tinha certeza de que o decepcionava. Fiquei vermelha. Já podia ouvir a conversa que ele teria agora com seu irmão Francesco, tão diferente da véspera. Em questão de segundos, imaginei cada palavra que os dois trocariam, suas risadas de desprezo entre as roseiras. Minha alegria desapareceu. Era tão visível o meu estado de confusão que Giacomo acabou por me soltar. No mesmo instante me arrependi. O que pensaria de mim? Apenas nesse momento é que realmente me senti envergonhada. Para consertar as coisas, voltei para junto dele, peguei sua mão, disse que não queria ser nem mal-educada nem desagradável. Ele me acalmou.

"Você é inocente", disse-me, como se fosse novidade. "Ainda é livre e sem afetação. Para você nada significa, mas você não faz idéia de como certa despreocupação pode confundir os rapazes."

Ele comia os pães que eu havia passado no açúcar enquanto me ouvia contar sobre os animais do prado, sobre os cachorros do superintendente e sobre as minhas aventuras na natureza de Paisano. A certa altura, interrompeu-me no meio de uma frase, como se não estivesse escutando coisa nenhuma: queria saber se eu não estava com frio, se não me sentiria melhor deitada do seu lado, embaixo dos cobertores.

"Não seria incômodo para o senhor?"

"Claro que não. Só tenho medo de que sua mãe entre no quarto."

"Ela não veria mal."

"Mas você sabe qual é o risco que estaríamos correndo?"

"Eu não sou burra! E o senhor é sensato. E padre."

Fui me deitar perto dele e continuei a narrar minhas histórias, mas parecia falar com as paredes. Ele não se concentrava nas minhas palavras, parecia surdo. Acabei cansando, e, como já eram dez horas, disse que queria me levantar, pois por volta dessa hora o conde Antonio às vezes vinha ao terraço e eu pretendia evitá-lo a todo custo.

"Já vou indo", respondi quando Giacomo insistiu em que eu o ajudasse a se vestir, "porque não estou nem um pouco curiosa em ver como o senhor é de pé."

Ele suspirou.

Aparentemente, no decorrer do dia foi ter uma conversa séria com meus pais, se bem que só me contaram sobre isso muito depois. Disse-lhes estar convencido de que eu era um anjo encarnado e que cairia irrevogavelmente nas garras do primeiro velhaco que surgisse pela frente. Afiançou-lhes que não seria ele esse canalha e que decidira manter um comportamento casto em relação a mim — promessa que manteria, contra todas as expectativas. Meus pais, gente simples e ansiosa, imbuídos de tais palavras cavalheirescas, admitiram que agora não poderiam confiar minha honra a mais ninguém. Aceitaram então — com que dose de cálculo, não sei dizer — o oferecimento do jovem padre, que se dispunha a desenvolver meu espírito e me tomar sob sua proteção. Estavam esperançosos de que Giacomo, à parte manter intacta a minha inocência, iria me instruir sobre todos os perigos da juventude.

Quando minha mãe, no dia seguinte, veio do jardim e entrou no quarto dele, parecia muito satisfeita em me encontrar novamente ali na cama. Até me deu um beijo, chamando-me de seu orgulho, de consolo da sua velhice, e agradeceu a Giacomo pela tutela moral que exercia sobre mim. O padrezinho disse que só dali a muito tempo eu saberia avaliar o quanto devia ser grata por ter os pais que tinha, gente simpática e desprovida de melindres.

Nisso, pelo menos, ele tinha razão.

A partir do momento em que me vi encorajada por meus pais, não me senti mais desconfortável na presença de Giacomo. Durante a semana das festividades, podia ser encontrada todas as manhãs em seu quarto; no resto do dia, ele participava das atividades e excursões organizadas pela condessa. Às vezes, à noite, eu o via brevemente no terraço, mas em geral tinha de esperar até a manhã seguinte, quando me lançava em sua cama e cobria seu rosto de beijos.

As festividades se encerraram com uma grande queima de

fogos de artifício, lançados de diferentes pontos das colinas em torno de Pasiano. Meu pai era responsável pelas maravilhosas estrelinhas e cascatas de luz que seriam lançadas dos bosques ao norte da casa. Eu o havia acompanhado até lá e, deslumbrada, aguardava o início do espetáculo.

"Lá vai ele!", anunciou meu pai em júbilo, segurando uma chama sob o primeiro pavio. "A gente diz assim: 'Adeus, queridas visitas, agradecido, de nada, passar bem e até nunca mais'!"

Foi como se aquela primeira explosão me despertasse. A clara noção de que meu amigo partiria na manhã seguinte, com os outros convidados, ardeu dentro de mim. Com um grito agudo, lancei-me ao chão. Meu pai, assustado com minha reação violenta, tentou de todo modo me acalmar, mas como era obrigado a se concentrar nas pirotecnias, a zelar para que prosseguissem em segurança, pude fugir dali. Corri em pânico pelos campos, que se iluminavam de azul, amarelo e vermelho. À minha direita e à minha esquerda, caíam do céu vestígios flamejantes, mas eu não prestava atenção. Corria na direção da casa, que brilhava a distância. Os convidados haviam se reunido no alto das escadarias; vendo-me correr desamparada, houve quem tentasse me alertar, gritando que eu deveria buscar abrigo, mas não dei ouvidos e segui sob a chuva de rastros de fogo.

Atirei-me de joelhos diante da condessa quando alcancei a casa. Antes que pudesse falar, ela já adivinhara a causa do meu tormento, pois Giacomo havia forçado passagem por entre a multidão e se desdobrava em cuidados por mim.

"Minha querida, serei eu tão abençoada" — ela sorria — "que verei esta história se repetir?" Vi quando trocou um olhar de compreensão com minha mãe, que se apressara em chegar até ali, mas pude ouvir também o comentário grosseiro feito pelo conde Antonio a meu respeito. Por um instante, tive vergonha ao perceber que todos pareciam saber o que se passava em meu íntimo antes de mim. Mas o constrangimento se desfez quando a condessa perguntou a Giacomo se ele não poderia permanecer um pouco mais em Pasiano e nos dar o prazer de sua companhia ao longo do mês de setembro.

Tínhamos agora todo o tempo só para nós, e eu o levei aos cantos mais remotos do meu mundo. Saíamos antes do amanhecer para ver os cervos em Copodé e caminhávamos até Azanello. Ali, fazíamos uma fogueira entre as ruínas para torrar o pão que minha mãe havia nos dado. No resto do dia vagueávamos pelos campos ou tentávamos atrair e montar os cavalos selvagens em Cornizzai, para em seguida nos segurarmos o maior tempo possível à crina até que os animais nos lançassem longe e nos fizessem cair aos gritos e risos.

Aqueles dias transcorreram como um sonho em que tudo nos é familiar, mas ainda assim não conseguimos compreender bem o que se passa. Eu imaginava que nos meus catorze anos de vida havia conhecido tudo de Pasiano, cada palmo, mas, servindo de guia a Giacomo, era como se eu viesse à minha terra pela primeira vez. Lugares queridos me decepcionavam, agora que os via através dos olhos do meu amor. Eu tentava lhe explicar por que isso ou aquilo me parecera tão bonito, mas, à medida que falava, era como se a convicção escorresse para longe das minhas palavras. De outra parte, coisas em que eu jamais havia reparado ganhavam um súbito brilho, apenas porque lhe pareciam interessantes. Uma hora eu me entristecia, como se estivesse traindo a pessoa que eu havia sido; no momento seguinte, ficava exultante, porque minha perspectiva havia se enriquecido. Meu mundo crescera porque minha consciência se duplicara. Disso eu tinha certeza absoluta. Não mais limitada aos meus próprios pensamentos, ela passara a incluir tudo aquilo em que ele acreditava, tudo o que ele pensava e sentia, todos os seus desejos e aspirações.

À tarde, no auge do calor, nadávamos num pequeno lago do Rivarotta; depois, deitados na margem, deixávamos que a água secasse no corpo. Eu aproveitava esses momentos preciosos para lhe fazer todo tipo de pergunta. Queria saber tudo. Às vezes, quando ele acabava de narrar uma anedota, eu lhe pedia que a contasse outra vez, do começo ao fim, por medo de ter perdido algum detalhe ou por receio de que ele mesmo tivesse pulado alguma passagem. Na tarde do dia seguinte, se ainda não estivesse segura da recapitulação, queria ouvir tudo de novo.

Ele parecia ter uma vida extraordinária, com aventuras que me deixavam tonta. Em Pasiano, as pessoas envelheciam sem conhecer uma fração do que Giacomo havia experimentado em seus dezessete anos. Só uma vez eu tinha ouvido qualquer coisa semelhante, na feira da primavera de Sacile, quando um trovador narrou as aventuras de Gil Blas enquanto outros integrantes da trupe as representavam em quadros vivos. Giacomo já havia estado em Constantinopla e em Corfu e havia lutado por toda parte, sempre como herói.

Quando me contou que era filho de atores, fiquei pensando se simplesmente não teria inventado tudo, mas ele sempre parecia falar a sério, sobretudo quando o assunto era sua mãe, Zanetta.

Um dia, contou que ela o abandonara ainda bem pequeno e o trocara por uma carreira num teatro em Londres, onde engravidaria do príncipe de Gales. Qualquer que fosse a verdade, a história o emocionava. Ele amava e odiava a mãe, sem dúvida. Parecia determinado a limpar o nome da família, manchado pela atriz, e restituir-lhe o lustro. Giacomo queria fazer carreira como diplomata, a exemplo de muitos de seus antepassados, que nos três séculos anteriores haviam servido a uma impressionante galeria de nomes, dentre os quais me ficaram na memória o rei Afonso II da Espanha, o cardeal Pompeu Colonna e Cristóvão Colombo. Queria entrar para a história, por improvável que fosse o filho de dois comediantes atingir tal propósito. Havia dado os primeiros passos na casa do famoso senador Malpiero, no Grande Canal, onde se familiarizara com o estilo e a companhia dos poderosos e ilustres. Falava de sua ambição com um fervor que beirava a desumanidade, às vezes me inspirando medo, pois ele parecia capaz de qualquer coisa, ou ciúme, embora eu mesma não sentisse tal paixão a respeito de nada e não tivesse sinais de que terminaria meus dias num asilo em Pordenone. Não obstante, e ainda que não compreendesse por que, houve momentos em que me senti ameaçada pelo seu sonho.

Ele falava sobre a carreira que se estendia à sua frente como uma batalha naval decisiva de alguma grande guerra a ser vencida. Havia se preparado com precisão e sabia exatamente que posições deveria tomar. Naquele inverno, em Veneza, faria contato com alguns aliados importantes e tentaria ser contratado a serviço de Venier, o embaixador veneziano na Turquia, a quem havia conhecido em Constantinopla. Enquanto me detalhava todos esses seus planos, deve ter visto algum assombro desiludido em meu rosto. Justificou-se, dizendo que para mim, naturalmente, era impossível entender até que ponto os venezianos podiam ser impiedosos. Discordei:

"A condessa me contou tudo sobre Veneza. Por acaso, sei exatamente que sacrifícios uma mulher precisa fazer naquela cidade. A vida ali é uma luta contínua — e isso só para achar um marido, coisa que em qualquer vilarejo acontece naturalmente. Eu bem posso imaginar os obstáculos que um homem tem de vencer para conquistar certa posição lá."

Ele me olhou com ternura. Pela primeira vez desde que começara a falar sobre o seu futuro, minha presença havia se tornado uma realidade para ele. Tive uma sensação boa, um alívio infantil, como certa vez em que o cachorro do capataz surgiu saltitante pela estradinha, depois de uma semana inteira desaparecido. Ao mesmo tempo, fui tomada por um desejo desconhecido que se sobrepôs a todos os outros. Sim, pensei, quero que tudo dê certo para ele. Giacomo haveria efetivamente de se superar — era o que estava determinado por uma força maior, e eu nunca havia tido certeza maior na vida. Naquele instante, eu teria renunciado a tudo para que ele alcançasse seus objetivos e fosse feliz.

Depois ele contou sobre a noite em que sua avó o levara à ilha de Murano, à cabana de uma velha, uma bruxa, que na ocasião o curou dos sangramentos que o acometiam. Nessa mesma noite ele recebeu a visita de uma fada — com quem eu me parecia, disse.

Uma pergunta insistente surgiu durante aquelas semanas: por que um rapaz como Giacomo desperdiçava seu tempo com alguém como eu? Não me entenda mal: na companhia dele, eu me sentia mais bonita do que nunca, e mais do que viria a me sentir em qualquer outro momento da vida. Imaginava-me mais inteligente do que nunca e, quando o fazia rir, sentia-me esperta, vivaz. Ainda assim... Uma moça como eu... Parecia bom demais para ser verdade. Toda noite, sozinha em minha cama, temia que ele percebesse a situação e mudasse de idéia, e então nem se daria ao trabalho de me chamar ao quarto na manhã seguinte. Mas quando eu finalmente adormecia, mergulhava outra vez no êxtase que os nossos momentos já me haviam dado.

Certa manhã, ele tocou a campainha mais cedo que o habitual. O dia mal raiava. Vesti qualquer coisa rapidamente e ainda sem prender o cabelo corri de braços abertos até ele, eufórica como sempre. Apenas entrei no quarto e parei assustada. Algo estava muito errado. Encontrei-o pálido e triste, o rosto irreconhecível. Não havia dormido.

"Há uma coisa que tenho obrigação de lhe contar", disse. "É terrível para mim, senhora, mas espero com isso ganhar o seu respeito como prêmio."

"Não, eu lhe peço: se conquistar esse prêmio significa tanta tristeza, prefiro que o senhor almeje um pouco menos." Embora aterrorizada sobre o assunto inimaginável de que ele queria falar, tentei não ser grave. "E me diga, por favor, por que está me tratando como se eu fosse uma dama, se até ontem dizia 'você' e era meu amigo? Que mal eu lhe fiz, signor abade? Vou buscar o desjejum. Depois de comer um pouco, o senhor vai se sentir melhor para me contar tudo."

Não sei como achei a cozinha e, de lá, o caminho de volta, carregando uma bandeja repleta e uma jarra de água fervente. Meus joelhos tremiam. Servi sua xícara e, enquanto ele bebia em completo silêncio, arrumei o quarto e fechei a porta, para evitar as correntes de ar. Fui então me aconchegar ao lado dele na cama. Não queria perder uma palavra do que dissesse, e esperava que esse gesto familiar banisse o estranho espírito que vinha perturbar a felicidade do nosso quarto.

A história se estendeu por no mínimo quinze minutos, pontilhada de argumentos que ele ensaiara e que expôs metodicamente com muita habilidade retórica. Seu esforço, entretanto, malogrou. Eu não era racional. Não pensava com a cabeça. Não era da minha natureza, simplesmente. Sabia apenas o que sentia. Seus pensamentos eram incompreensíveis para mim. O que ele me apresentava como lógica irrefutável eu reconhecia como tolice.

"Estou apaixonado por você. Eu a amo tanto, que já não posso confiar na honorabilidade do meu comportamento. Portanto, não devemos mais nos ver." Eis um resumo possível da argumentação.

O que eu deveria dizer? Para mim, era como se ele tivesse

falado árabe. Seria essa a forma de raciocinar das damas e cavalheiros?

Eu tenho sede; logo, não beberei.

Eu tenho fome; logo, devo jejuar.

Eu tinha ouvido falar que, na cidade de Udine, havia uma casa onde pessoas assim eram amarradas a um banco de madeira até que recuperassem o senso.

Giacomo, entretanto, parecia ter pleno controle de suas ações. À beira do choro, descreveu os horrores que estariam à nossa espera se continuássemos a nos encontrar. Até ali, ele havia mantido o autodomínio graças a um remédio especial usado por rapazes no colégio, remédio a que havia recorrido várias vezes ao longo do dia, segundo disse. Mas, como de praxe, já não surtia efeito, de modo que ele não podia garantir mais nada. E ele nunca se perdoaria por macular a minha honra.

O fato de eu mesma estar disposta a perdoá-lo incondicionalmente parecia não fazer nenhuma diferença. Ele agora chorava. Sequei suas lágrimas com a parte da frente da minha camisola, e a visão que lhe ofereci apenas tornou mais candente o dilema em que ele se debatia.

"Você me ama", eu disse, "e por isso me manda embora. Queria saber o que aconteceria se me desprezasse." Agora eu também estava a ponto de chorar, mas contive as lágrimas. "Você estudou e eu, não; sou só uma moça simples. Mesmo assim, sou mais inteligente do que você, porque pelo menos sei que o amor não é uma doença, a não ser quando o perdemos. Estou me sentindo muito bem, melhor do que nunca. Farei tudo o que me pedir, menos deixar de amá-lo — isso é impossível. Se para curá-lo é preciso que não nos vejamos mais, que assim seja. Prefiro vê-lo saudável sem mim a vê-lo definhar em minha presença. Mas eu ainda não compreendo: tem certeza de que não existe outra solução? Porque esta vai me fazer morrer de tristeza."

Isso pareceu comovê-lo.

"A natureza tem argumentos muito mais fortes do que a moral", ele disse, tomando-me em seus braços.

"Por favor", sussurrei, "pense alguma coisa. Isso não deve ser nada tão incomum. Podemos achar outra forma. Confie em Lucia."

Tivemos um abençoado momento sem dizer uma só palavra e sem o mínimo vestígio de problemas no ar. Pareceu, nesse instante, que uma alternativa lhe ocorria.

Uma hora depois minha mãe veio dizer que eu tinha de me aprontar para a missa. Eu estava com o coração tranqüilo ao deixar meu paciente, pois uma cor mais saudável voltara ao seu rosto.

Desse dia em diante, beijamo-nos todos os dias por horas a fio, brincando de todos os jogos já inventados para a boca. Se eu antes possuía um saudável amor à vida, agora sentia por ela veneração e respeito profundos, pelo seu poder de nos outorgar algo tão divino. Éramos insaciáveis, justamente porque Giacomo se privava daquilo que simultaneamente nos daria a plenitude da satisfação e poria a perder a nossa honra. O mérito era todo dele. O céu é testemunha de que fiz o que pude para afastá-lo de suas boas intenções. Cheguei mesmo a tentar convencê-lo de que o fruto já fora colhido, mas ele me fez deitar e me examinou durante horas, minuciosa, extensiva e enlouquecedoramente. Enfim, pareceu-me tão íntimo dos segredos da feminilidade que de fato não se deixaria ludibriar.

Em suas mãos, experimentei a combinação ímpar de perfeita segurança e apetite avassalador. Quanto mais eu me abria para o meu amado e para o meu desejo por ele, mostrando-lhe cada vez mais da minha alma e do meu corpo, mais protegida me sentia. Porque tive a coragem de confiar nele, fui capaz de me perder inteiramente. Naqueles dias, desejo e segurança se entrelaçaram dentro de mim, e assim permaneceriam; sempre me senti mais segura nos momentos em que pude me despojar de qualquer sentimento de vergonha.

Continuávamos em êxtase quando o mês de outubro chegou. A condessa retornaria a Veneza, na companhia dos últimos convidados que haviam prolongado sua estada em Pasiano.

Estávamos inconsoláveis.

Giacomo declarou-se pronto a abrir mão de todos os seus planos para o futuro. Havia até rascunhado uma carta ao senador Malpiero, com o intuito de se desculpar. Eu a rasguei. Ofereceu-se para permanecer em Pasiano e ganhar a vida no campo. Eu o proibi. De minha parte, não havia auto-sacrifício. Ao contrário. Nunca tive admiração por pessoas que decidem com o raciocínio os negócios do coração. Não, foi em meu próprio benefício que eu o deixei partir. A felicidade dele era a minha, isto eu sentia vivamente. E, para ser feliz, ele precisava ir em busca do seu sonho. Eu não me sentiria infeliz. Já havia alcançado o meu.

Combinamos que ele retornaria na primavera, ao término da temporada de inverno em Veneza, de forma que pudéssemos ficar noivos depois da Quaresma. A condessa patrocinara o início quase travesso da nossa união e seria também a madrinha da nossa felicidade futura. A seu pedido, o conde Antonio, que por conta de um mal-estar postergara a partida para Milão, iria estender o contrato de monsieur de Pompignac. Supondo concluídas as suas tarefas após o casamento de Adriana, o professor estava de malas prontas quando recebeu a boa-nova de que seu emprego na idílica Pasiano seria prolongado. Parecia cheio de coragem ao ouvir a missão que a condessa lhe atribuía e prometeu, confiante, que ao longo do outono e do inverno aperfeiçoaria minha instrução e me ensinaria tudo sobre os códigos do *beau monde*, para que mais tarde eu não fizesse feio como esposa de diplomata. Este era um ponto sobre o qual não havia dúvida: no verão seguinte, Pasiano voltaria a ser palco de uma festa de casamento e os noivos seríamos nós, Giacomo e eu!

Mesmo na noite de nossa despedida, apesar de termos o futuro traçado diante de nós e a despeito do nosso desejo, mais intenso do que nunca, não fui capaz de seduzir o homem que se tornara o guardião do meu coração e da minha alma. Em vez disso, choramos de alegria até o amanhecer, abraçados, e prometemos ser fiéis um ao outro para sempre, nesta vida e na próxima.

Eu acenava para as carruagens quando ouvi o velho conde fungar perto de mim. Mais uma vez, como se sentisse cheiro de fumaça.

"Você já está madura", disse. "Não negue, posso sentir. Aprendi com a vida que esse odor salino..." Ávido, ele encheu os pulmões. "Bem que sei farejar quando uma menina está no ponto."

Corri na direção dos portões e segui correndo loucamente na estrada, até Pozzo e mais longe ainda, até que eles desapareceram e as nuvens de poeira se assentaram.

7.

"Por que um milagre deixaria de ser milagre apenas porque outra pessoa não o vê?"

Jacques de Seingalt continuava perdido em pensamentos na soleira da minha porta, sob o gélido chuvisco holandês. Sua cabeleira estava molhada. Surgiram manchas escuras de umidade em seu caro jaleco de seda. Lembrar da menina que tanto tempo antes erguera um copo e se surpreendera com as formas mutantes da água deixara-o desorientado.

"Nós havíamos nos prometido fidelidade eterna, compreende?", disse de repente, como se acordasse do devaneio. "Ela prometeu me esperar, mas quando voltei para buscá-la, menos de meio ano depois, havia desaparecido."

"Talvez tivesse bons motivos."

"Ela os tinha", disse, e se inclinou em sinal de despedida. "Era mulher."

II. UMA BRILHANTE IMPERFEIÇÃO

Não muito longe de Pasiano, vivia um ermitão num barril de vinho, às margens do Livenza. Era muito velho. Às vezes, minha mãe me mandava até lá para levar-lhe uma jarra de leite ou algum resto de pão que tivesse sobrado. Durante toda a vida, o velhinho havia jejuado e rezado. Havia se flagelado sem dó nem piedade e se negava a qualquer prazer terreno, na esperança de realizar, uma única vez, o milagre de andar sobre a água, seguindo o exemplo de Cristo. Era o seu único objetivo, e ele todos os dias treinava para alcançá-lo, desde de manhã cedinho até tarde da noite. Em frente a sua moradia, havia sempre um hábito pendurado numa corda, secando.

Um dia o varal apareceu vazio. O ancião estava ao lado do barril, sentado no chão, deliciando-se com um assado de cordeiro e uma garrafa de lambrusco.

"Consegui!", ele me disse. "Esta noite o Salvador surgiu bem diante dos meus olhos. Estava ali, do outro lado da margem, e acenou para mim. Ele queria testemunhar o desafio a que me dediquei a vida inteira. Tudo indicava que seria o momento da verdade, e eu estava nervoso. Com o máximo de cautela, fiquei em pé sobre a água e... consegui: continuei seco! Foi um milagre. Mal pude acreditar. Pé ante pé, alcancei o meio do rio. Jesus ficou tão satisfeito que bateu palmas! Depois me enchi de coragem e com alguns passos largos fui até Ele, na outra margem. Caí em Seus braços. 'Dediquei minha vida a este momento', disse-lhe soluçando, 'renunciei a todos os prazeres mundanos para um dia alcançar o outro lado do rio caminhando sobre as águas.'

"O rosto de Jesus foi tomado de compaixão.

"'Ah', disse o Salvador, 'que perda de tempo. A algumas centenas de metros daqui, correnteza abaixo, existe uma balsa.'"

O mundo está cheio de pessoas que passam a vida inteira em busca do milagre do amor, sem nunca o ver. Ele é muito simples e absolutamente evidente, salvo para aqueles que o procuram.

É preciso apenas uma outra maneira de olhar as coisas. E isso não se ensina. O máximo que se pode fazer é contar a história.

1.

Eu não chorei naquele momento. Às vezes me arrependo disso. Depois que vi Giacomo desaparecer na curva da estrada, por entre as colinas de Pasiano, não deixei nenhuma lágrima escapar. Teria sido uma tristeza meiga, coisa típica de meninas: um desejo tão profundo de morrer, que não deixa lugar para nada mais, tão absoluto como a euforia que me invadiria, um segundo mais tarde, ao pensar no nosso reencontro. Poderia ter expulsado todo o ar dos pulmões em soluços, lançando minha fúria contra o destino, e não contra mim. Na manhã seguinte, teria despertado fortalecida, talvez até preparada para me defender. Depois, claro! Depois, apenas a lembrança da mão espalmada do meu amado no vidro traseiro da carruagem, em sinal de despedida, seria suficiente para me despedaçar, mas naquele momento a morte já havia passado por mim sem me oferecer nenhuma saída.

A partida de Giacomo foi imediatamente seguida por uma agitação tão intensa que não houve tempo para o meu luto. Naquela mesma tarde, o antigo preceptor de Adriana entrou no quarto do jardim quando eu arrumava a cama do meu amor. Embora evidentemente chocado com meu cabelo grudento e com a saia presa na altura dos quadris, monsieur de Pompignac se recompôs e anunciou que me aguardaria na manhã seguinte, às dez horas, na biblioteca. Em seguida, pediu-me que pusesse um dos pés sobre a cama. Cheio de descrença, inspecionou meus calos e partiu de ombros caídos.

Para aquela primeira aula, calcei os sapatos. Eram de minha mãe e por isso grandes demais para mim, mas monsieur de Pompignac apreciou o gesto. Parecia mais desesperado que antipático. Dava voltas ao meu redor, como o cabeleireiro de madame de Maintenon faria com um cachorro vira-lata. Formulava perguntas que eu procurava responder da melhor maneira possível. De vez em quando, ria de uma resposta, ainda que isso não melhorasse o seu humor. Entre uma questão e outra, inseria alguns assuntos que não tinham nenhum significado para mim. Eu desejava não decepcioná-lo e mantinha um sorriso o tempo todo. A certa altura, ele se calou. Conduziu-me à janela, com meu rosto entre as suas mãos, e o virou em diversas direções para que a luz o iluminasse de diferentes ângulos. Monsieur suspirou, dizendo que pelo menos meus ossos da face eram aceitáveis. Quis então que eu levasse comigo as aventuras de Gil Blas, em quatro pequenos volumes encadernados em couro, e declarou que na manhã seguinte iríamos discutir a obra. Folheei os livros por um instante e os devolvi. Eu sabia ler — não era esse o problema —, mas não muito rápido; por isso, expliquei, seria inútil tentar ler alguma coisa que contivesse tantas palavras desconhecidas. De Pompignac me encarou atônito. Examinou as páginas de um dos volumes como se quisesse se certificar de que o livro fora impresso na minha língua materna, e não em aramaico. Percebi que ficou mais calmo. À medida que a extensão da minha ignorância se revelava a ele sem disfarces, um sorriso foi iluminando seu rosto. Eu estava envergonhada e tentei lhe pedir desculpas, mas ele não as aceitou.

"Toda a minha vida", ele disse, "tive de transformar em algo maior os fragmentos que outras pessoas deixaram para trás. Preencher buracos, consertar falhas, colar fissuras e polir asperezas. E agora, justamente agora, quando pensava que estava tudo acabado, agora, pela primeira e única vez, poderei mostrar o que sou capaz de fazer com um bloco de mármore intacto. Todinho para mim, desde o primeiro toque do cinzel! Será uma tarefa pesada. Vai doer, com certeza vai doer, e o que poderíamos esperar? Isso acaso teria intimidado Pigmalião? Lágrimas de sangue vão jorrar, minhas e suas, mas é agora ou nunca!"

Ao ouvir isso, eu quis fugir, porém ele me pediu que sentasse de novo e dispôs diversos textos sobre a mesa à minha frente. Comecei a lê-los em voz alta como achava que deveriam soar. Ele me corrigia e explicava o significado exato, repetidas vezes, até que eu pudesse reconhecer as frases e tivesse coragem para tentar adivinhar o que diziam. Permanecemos sentados por algumas horas. Tive fome e sede. Ele pediu água e bolo de amêndoas, mas não me permitiu um momento de descanso para comê-lo, de forma que tive de engoli-lo aos bocados, enquanto recitava as conjugações que ele tentava gravar em mim.

Quando o sol se pôs no final daquele primeiro dia, monsieur de Pompignac não parecia menos esgotado que eu.

Entretanto, naquela noite não dormi.

Li.

Estudei com cuidado o que havíamos lido, linha por linha, e até algumas linhas novas. Tentei dizê-las em voz alta. Recordo-me da surpresa quando o que antes me parecia um monte de hieróglifos na página de súbito veio aos meus lábios com um som familiar, após alguns balbucios insistentes. Embora conte isso com grande hesitação — pois logo já não conseguiria sequer imaginar como havia sido tão tola —, por detrás daqueles sinais, mesmo dos que eu ainda não era capaz de decifrar, escondiam-se coisas que na realidade eu conhecia. Desvelando essa correspondência entre as palavras e o mundo conhecido, dissipou-se o medo que os livros sempre me haviam inspirado. E com o medo perdi a atitude jocosa que até então havia assumido diante da escrita e das pessoas que não tiravam o nariz do meio dos livros. A incerteza que gerava a zombaria continuou a existir, mas eu agora encontrara outra forma de manifestá-la.

Uma pessoa pode comer biscoitos a vida inteira sem saber do que são feitos, eu pensava, mas é obrigada a esperar que alguém se disponha a fazê-los. Se ela se der ao trabalho de descobrir os ingredientes, poderá então alimentar a si mesma para o resto da vida.

Na manhã seguinte, li a primeira página do *Gil Blas* para monsieur de Pompignac.

Ele pareceu resplandecer.

"*Ma* Galathée", sussurrou.

Ergueu-se da cadeira, tomou minha mão e a beijou. Ninguém nunca havia feito isso.

Jamais alguém teria imaginado os fatos que se seguiram. Demonstrei aptidão insuspeita para os estudos. Tentava explorar a fundo os meus talentos, empenhada em agradar ao meu mentor. Raras vezes saía, para desgosto dos rapazes do estábulo e do mensageiro, L'Aigle. (Pouco tempo depois, L'Aigle foi mandado embora, pois molestara uma das ajudantes da cozinha, aparentemente ofendido com a minha rejeição.) À noite eu me inclinava sobre os livros, mantendo-me acordada com a idéia da satisfação que daria ao meu velho tutor na manhã seguinte. Desde que despertara para os estudos, entregava-me sem jamais estar satisfeita. O conde Antonio havia me liberado dos afazeres domésticos —

em troca de um beijo —, e agora eu podia me dedicar o dia inteiro às aulas. Mas isso não reduziu o esforço que eu fazia à noite, enquanto os outros da casa dormiam. Não conseguia parar. Parecia pressentir que minha obrigação era aproveitar ao máximo aqueles poucos meses, para me fortalecer e, com o conhecimento, me armar para o que se seguiria, quando os botões de flor voltassem às árvores. O que me estimulava acima de tudo era o prêmio à minha espera no final do período de estudos. O diploma prometido aos alunos de Bolonha não podia motivá-los tanto quanto a imagem da surpresa de Giacomo quando, em nosso reencontro, na primavera, ele reconhecesse em mim uma intelectual de igual valor.

Do *Gil Blas* de Le Sage, meu mentor levou-me a desfrutar as aventuras de Manon Lescaut, do abade Prévost, e em seguida me fez descobrir os grandes pensadores do nosso tempo, espíritos que tentaram se libertar do jugo das emoções tal como eu tinha necessidade, naquele momento, de me desvencilhar do meu estado natural. Agradou-me a maneira como haviam passado o comando à razão. Descobri isso tão meticulosamente quanto aqueles pensadores, e, também como eles, passei a apreciar e manejar a razão como instrumento de poder incomparável.

Monsieur de Pompignac já havia excedido seus honorários e podia ter tratado nossos encontros de forma displicente. Porém, à medida que via seus esforços frutificarem, ele parecia estabelecer objetivos cada vez mais ambiciosos. Dentro de poucos dias, passou a ministrar uma parte das aulas em francês. Eu não sabia falar a língua, em absoluto, mas essa era a voz da ciência e o futuro da Europa, argumentou De Pompignac, e eu tinha inteligência suficiente para dominá-la. Sua convicção logo se tornou uma profecia realizada. Em duas semanas eu era capaz de responder às perguntas, apenas empregando as mesmas palavras dele em outro arranjo; depois que passamos a estudar judiciosamente, linha por linha, os livros em francês, pude usar as minhas próprias palavras. Ele trazia sempre consigo a *História de Veneza*, de Nani; o *Diálogos dos mortos* e o *Mondes*, de Fontenelle; os tratados de Bossuet sobre a história mundial; e a *História da Igreja e do Império*, de Le Sueur.

Com o aperfeiçoamento da minha razão em curso, logo as aulas se ampliaram para algo próximo a exercícios físicos, com o objetivo de melhorar minha postura. Ele queria me ver sentar qual uma marionete suspensa por um fio preso ao peito, e insistia em que eu andasse sempre perfeitamente ereta, com passos pequenos e firmes. Tentar satisfazê-lo provocava mais risos em ambos do que minha primeira tentativa *plus-que-parfait*, isto é, na medida em que conseguia controlar o riso. Porém, quando aquela postura se tornou natural, eu mesma comecei a me sentir mais à vontade na companhia dos membros da casa. Monsieur fez uma lista de palavras indelicadas e me proibiu de usá-las; para melhorar minha dicção, obrigou-me a pronunciar frases nas quais a língua parecia se entortar, e ainda por cima me fez encher a boca com seixos do rio. Por um bom tempo, fiquei apavorada com a possibilidade de engolir as pedras e perecer com elas penetrando no meu fígado. Amaldiçoei meu torturador e chorei, tentando despertar alguma compaixão nele. Até amarrei pedrinhas à cabeça. Mas, por fim, meus lábios e os músculos do pescoço se fortaleceram de tal maneira que, sem elevar o tom de voz, eu era capaz de me fazer ouvir por monsieur de Pompignac da outra margem do rio, com os ruídos da correnteza entre nós dois.

À primeira vista, certas habilidades que ele insistia serem essenciais às boas maneiras podiam parecer um tanto obscuras. Havia, por exemplo, o que chamava de "alargamento do raio de projeção da personalidade", descrição tortuosa de como chamar atenção numa praça de mercado lotada apenas controlando a respiração e adotando uma postura tranqüila e majestosa. Não me pergunte como é possível, mas eu aprendi, e durante minha vida inteira tirei proveito dessa habilidade. Em meio a tudo isso, De Pompignac ainda achou tempo para me ensinar algumas danças simples, como a *bourrée* e a farândola, ou mais refinadas, como o minueto e a gavota. Fazíamos as refeições juntos para que eu aprendesse a usar um prato exclusivo para mim, em vez de comer diretamente das travessas ou das tigelas, como era hábito em minha casa.

Ele também insistia em que eu não comesse com as mãos. Contei-lhe sobre o meu avô, que pegava a polenta usando só três dedos, apertava-a na palma da mão até lhe dar a forma de uma tigelinha e a enchia de carne e molho, dobrando então as bordas para fechá-la. Era assim que ele havia comido em todas as mesas distintas, sem derramar um único pingo. Para atingir essa destreza, praticara a vida inteira. Na nossa região, era o tipo de coisa que inspirava o respeito alheio, e eu sempre estivera determinada a adquirir o mesmo nível de perfeição e habilidade. No entanto, não havia escolha senão aceitar o que me dizia monsieur de Pompignac em tom categórico. Ele garantia que comer com colher e garfo era considerado muito mais louvável, ainda que qualquer um conseguisse aprender isso em uma única refeição. Para estimular meu entusiasmo, ele me presenteou com um conjunto de talheres de prata para viagem, aproveitando a oportunidade para expressar seu desejo de que em breve eu fosse capaz de controlar minhas eructações.

A cada dia, página por página, obra após obra, novos e infinitos campos de conhecimento se revelavam diante dos meus olhos. A liberdade era estonteante — eu estava cega para todo o resto — e eu saltitava por ela como um bezerro que pela primeira vez pode ir ao pasto, desprovido de temores. Foi por isso que percebi tarde demais a preocupação dos meus pais enquanto me observavam distanciar de sua simplicidade. Quando chegava em casa à noite, contava-lhes, como antigamente, tudo o que tinha visto e experimentado. Entretanto, agora eu não falava mais das folhas em brasa no galpão de tabaco ou de uma víbora encontrada no caminho, assuntos familiares, que pertenciam ao mundo deles. Agora eu contava que uma rainha coríntia sacrificara, por vingança, o marido e os filhos, ou que uma ninfa escapara de um estupro transformando-se em folha de louro. A tudo eles escutavam, e no início até davam conselhos e faziam comentários ("Talvez tenha sido melhor assim para a rainha, e quem sabe venha a encontrar outro marido, um homem gentil que lhe dê novos filhos"), mas com o passar do tempo passaram a apenas fazer um gesto com a cabeça e sorrir, sem saber o que dizer. Que o meu entusiasmo os entristecia, isso era óbvio para mim, porém na época eu não entendia por quê. Para protegê-los, parei de lhes contar minhas novas descobertas. Isso os deprimiu ainda mais, pois pensaram que eu não os considerava suficientemente inteligentes para compreender, o que nunca havia sido minha intenção. Apesar de toda a nova cultura, eu era bastante insensível, não conseguia ver o que ocorria diante dos meus olhos. Uma pessoa instruída tem justamente o dever e o privilégio de adaptar-se ao ignorante, cujas deficiências devem ser absolvidas por sua própria natureza.

No final de novembro, percebi um alívio no comportamento deles. Estavam contentíssimos por alguma razão, não conseguiam esconder, mas, quando eu lhes perguntava, nada diziam. No primeiro domingo do Advento, ao despertar, encontrei meus pais à espreita, ao lado de minha cama. Meu pai escondia atrás de si algo que foi passado para as minhas mãos depois de ele recitar com nervosismo um breve discurso estudado. Resumindo, estavam ambos muito orgulhosos de mim, queriam me apoiar conforme os limites de seus meios financeiros e, por isso, gostariam de me presentear com o primeiro livro que seria de minha propriedade. Retirei o papel de seda e o reconheci de imediato. Era um exemplar do *Nascimento, luz e promessa de Cristo, Nosso Salvador, explicado para o Advento*, livro de frei Onofrio, sacerdote da nossa vila. Ele transformara seus pensamentos simples sobre o assunto — não mais de quatro sermões —, valendo-se de latinismos emprestados, jargões científicos arbitrários e ornamentações desconexas, e mandara encaderná-los em couro de novilho. Encerrada a missa de domingo, divulgava a obra aos notáveis da paróquia, os quais não tinham coragem de recusá-la, temendo pela salvação de sua alma. Menos de uma semana antes, o padre entregara um exemplar a monsieur de Pompignac. Juntos havíamos nos deleitado ao caçoar daquela retumbante coleção de tolices. Agora, eu as folheava uma vez mais sob o olhar expectante de meus pais. Fui tomada de aversão pelo padre, que sabia exatamente a quantidade de trabalho extra que meu pai tinha de executar e tudo o que precisava negar à família para reunir a soma que ele pedia para pagar aquela porcaria de obra adornada com filetes de ouro. O fato de frei Onofrio não ter dissuadido meu pai de comprar o livro provou-me que Voltaire, cuja obra estávamos começando a estudar, tinha razão sobre a maldade inerente ao clero. Passando o livro de uma mão a outra, eu refletia sobre o que fazer. Tinha duas opções, ambas igualmente dolorosas: dizer a verdade, devolver a monstruosidade ao bom pastor, desfazer a compra e exigir o reembolso, ou celebrar o presente e fingir que ficara sem palavras por gratidão. Escolhi a segunda opção e prometi a mim mesma, por mim e por meus pais, que lhes daria em dobro ou mais a quantia que haviam despendido em meu benefício, assim que me casasse com Giacomo e sua carreira estivesse bem. Abracei meu pai e minha mãe. Com receio de não conseguir sustentar a mentira, saí correndo, anunciando que deveria mostrar o presente imediatamente a monsieur de Pompignac. Na realidade, em benefício dos meus pais, escondi o livro para ter certeza de que meu tutor nunca veria aquele exemplar do livro de frei Onofrio.

Pela primeira vez percebi que, naquele curto período, havia ido longe. Longe demais, a ponto de não encontrar o caminho de volta para casa.

Monsieur de Pompignac parece ter notado minha mudança de humor, pois naquele dia se mostrou especialmente gentil. Durante o jantar, escolheu o pecado capital como tema de nossa discussão diária.

"Adão e Eva sabiam que perderiam sua inocência, mas mesmo assim escolheram comer o fruto da árvore da sabedoria. Até que ponto, Lucia, alguém tem de ser estúpido para desistir do paraíso?"

"Nossos ancestrais não conheciam o paraíso até o momento em que ele lhes foi negado. Assim, recusar-se a obedecer à proibição divina foi a decisão correta. Isso os ensinou a apreciar a beleza do lugar de onde tinham vindo."

"E você acha que o conhecimento que adquiriram os tornou mais felizes?"

"Não creio que o senhor quer dizer que seria melhor continuar ignorante para sempre, em vez de saber que o bem existe em algum outro lugar e..."

"... e perceber que jogou tudo fora. O que pensa você?"

"Claro que não", repliquei insultada, pois era justamente o que ele próprio acabara de me ensinar, "a consciência é o nosso dom maior."

"Então, uma vida de sacrifícios é preferível a uma existência despreocupada vivida inconscientemente."

"O conhecimento conforta", eu disse. "Nossa razão pode

oferecer argumentos sobre a perda do paraíso e, dessa forma, reduzir o sofrimento."

"Mas não seria mais sábio simplesmente não ter dor nenhuma a ser aliviada pela razão?"

"Como alguém pode conhecer o paraíso sem tê-lo perdido? Se alguém escuta o senhor falar assim, pode até pensar que o conhecimento é um defeito, e não uma conquista."

"O conhecimento nos aponta nossas falhas. Ele é uma aquisição, mas, como qualquer outra riqueza, nos priva de nossa despreocupação e de nossa inocência, como no caso de Adão e Eva." Nesse momento, fez uma pausa para prosseguir mais terno. "Tenho meus motivos para crer que você também já experimentou essa tristeza."

Como um relâmpago, vi a expressão dos meus pais enquanto eu folheava o presente que representava tanto sacrifício para eles.

"Começo a ter idéia de como são aquelas lágrimas das quais o senhor me preveniu quando começamos as aulas."

"O acúmulo de conhecimento e o aprendizado de habilidades são um primeiro passo, nada mais. Qualquer um pode dar esse passo. A ele se segue o verdadeiro teste, no qual uns poucos são aprovados: é preciso ter a coragem de fazer as malas e abandonar o mundo, distanciando-se cada vez mais das outras pessoas, mesmo as mais queridas."

Concordei com uma leve inclinação da cabeça.

"Compreender isso", disse em tom profundo, "é o diploma das minhas aulas."

Naquela noite, não prosseguimos nossos debates como aluna e professor, mas como amigos — ainda que De Pompignac não tivesse me permitido abandonar o francês nem por um instante.

Em pouco tempo, minha vida em Pasiano havia mudado radicalmente. Eu nunca mais tinha ido aos bosques ou aos campos que antes nutriam minha alma. Encontrara minha liberdade na própria casa, onde agora podia me movimentar de modo tão irrestrito que eu quase me esquecia de que não pertencia àquele lugar.

Certo dia, o conde Antonio veio me fazer companhia na biblioteca. Demonstrou interesse por meus estudos, indo buscar um volume de sua coleção secreta. Tratava-se da *História de dom Bougre, porteiro de Chartreux*, ricamente ilustrado. O velho conde ficou em pé atrás de mim e abriu o livro sobre a mesa à minha frente. A cada página virada, aproximava-se insuportavelmente um pouco mais, até comprimir seu corpo contra o meu. Tentei me desvencilhar, acreditando que uma objeção polida, proferida em francês, seria respeitada.

"Ainda virá o dia!", foi a reação dele, em tom divertido. Abriu o livro numa página em que uma cortesã satisfazia um oficial com a língua. "Você pode aprender a falar tal qual uma dama, mas como pensa que essas mulheres desfrutam os prazeres das casas senhoriais e das carruagens?" Ele pôs a mão sobre a página, esfregando a ilustração com seus dedos gordos como se brincasse com as figuras.

"Aqui, um joguinho como esse arrecada uns três cequins", disse em tom sério. "Não se esqueça. Até cinco, quando bem executado."

Ergui-me e saí apressada para a aula. Ainda me virei para olhar o homem pela porta entreaberta. Ele estava curvado sobre seu patrimônio artístico. Parecia indiferente à minha partida.

No começo de fevereiro, monsieur de Pompignac desapareceu sem aviso. Era a primeira vez que nossas aulas eram interrompidas. Dediquei o tempo livre ao estudo das *Lettres persanes*, descobrindo o prazer de observar coisas muito familiares através do olhar de um estrangeiro. Era o que eu própria me tornaria em breve, mas jamais poderia ter suspeitado. Quatro dias mais tarde, monsieur retornava a Pasiano carregado de pacotes festivos. Estava visivelmente enfraquecido, porém com um sorriso que denunciava satisfação íntima. Escondeu a surpresa durante apenas meia semana, depois não conseguiu mais guardar a novidade para si.

Ele viajara até Veneza, não diretamente, mas fazendo uma parada em Modena, com a intenção de interromper nossas aulas pelo menor tempo possível. Essa rota lhe permitira que burlasse a quarentena de nove dias imposta pela Sereníssima, oficialmente por motivos sanitários, embora o objetivo real fosse forçar o recalcitrante governo do Friuli à submissão.

"Seja como for", riu-se, "todo esse esforço foi por você. *Voilà!*" Entregou-me uma caixa de papelão com uma roseta enorme e, enquanto eu a abria, ficou me observando com ansiedade. Continha um vestido de baile de veludo azul-marinho. "Beleza como a sua não precisa de ornamentos, mas as pessoas escolhem, entre as frutas em uma tigela, aquela pêra em que se vê também uma bela folha." Era o vestido mais bonito que eu já vira. Não consigo lembrar exatamente o que pensei na hora — se me mandariam ajustá-lo para a pessoa que o usaria, se deveria engomá-lo ou passá-lo. Por mais que De Pompignac repetisse que se tratava de um presente — um presente para mim —, vestir um traje tão precioso era inimaginável. Assim que atinei com essa idéia, larguei o vestido, amedrontada, quase como se ele tivesse me proposto algo indecente.

"Não sou nem de longe o que o senhor quer que eu seja", disse, "e me assusto com a idéia de me apresentar como alguém que não sou."

Ele me pediu que confiasse em seu julgamento.

"Logo saberemos se é de fato prematuro", disse, acalmando-me. "No Carnaval, o conde Antonio dará uma festa. Você será a convidada de honra. Já está tudo combinado. O velho senhor a admira muito, embora você não tenha consciência disso, e ele se mostra extremamente interessado em seus progressos. Não diga nada, todos os notáveis da província já foram convidados, e está fora de cogitação ofendê-los cancelando a festa." Em seguida ele me mostrou o resto do meu novo guarda-roupa, peça por peça, como se tirasse de dentro da caixa presentes para ele próprio. A cada peça suspendia nas mãos, regozijava-se como se fosse a primeira vez que a via: "Sapatos, botas, olhe só! Luvas, camisas de seda, toque-as, vamos, toque-as. Uma anágua e um corpete, todos novinhos em folha!"

No momento em que percebeu que a perspectiva de um exame público me assustava, deixou tudo de lado e veio se sentar junto a mim.

"Não há motivo para preocupação, *ma* Galathée! Ninguém a reconhecerá." Como último item, tirou de dentro da caixa uma máscara de couro, dessas que cobrem metade do rosto, como se costumava usar no Carnaval. "Vou apresentá-la como minha sobrinha..." Ele exultava diante dessa perspectiva. "*Je vous présente ma nièce, Galathée de Pompignac!*"

"O senhor deposita muita esperança em mim, monsieur."

"Veremos", riu mais uma vez e beijou-me no rosto como um parente o faria.

Nada vimos.

Na manhã seguinte, ele não apareceu no horário usual de nossa aula. Durante a madrugada, sua garganta começara a inflamar. A febre começara no início da noite, e na manhã seguinte, como se temia, a boca e a língua estavam repletas de bolhas. Eram os sinais de um tipo de varíola interna, muito agressiva, que se aloja nos canais respiratórios. O boticário atribuiu a infecção à tolice de não ter levado a sério a quarentena veneziana. Na idade de monsieur de Pompignac, ele previa que seria questão de duas, no máximo três semanas.

Queria fazer companhia ao meu bom amigo, mas meus pais impediram. Na manhã seguinte, ele foi levado a uma construção anexa, nos limites da propriedade. Meu pai retirou os pertences de De Pompignac de seu aposento, empilhou-os em campo aberto e em seguida ateou fogo. Pretendia pôr até os livros na pilha, mas isso, felizmente, eu consegui evitar. Expliquei que a crendice de que uma doença pudesse se prender ao papel era tola, conforme já fora provado pela ciência. Meus pais me fitaram com olhar ressentido. Era a primeira vez que eu os desafiava com meu novo aprendizado. Dei esse passo por impulso, sem pensar, magoando-os visivelmente. Apenas depois de recolher os livros que ainda não haviam sido queimados e fugir, pude me sentir silenciosamente triste por aquelas pessoas que me amavam tanto e que obedeciam à minha nova autoridade tão dóceis quanto duas crianças.

Não tiveram mais coragem de me negar pela segunda vez o acesso ao meu tutor. Eu era a única que entrava destemida no quarto. Os empregados deixavam as refeições e a água no degrau da entrada. Eu as levava para dentro, sentava-me em sua cama e lia as partes da Bíblia de que ele mais gostava. Assumi os seus cuidados como responsabilidade minha e executava todas as precauções com minúcia, desinfetando a ele e a mim após cada procedimento. Usava uma máscara embebida em álcool e queimava todo alimento que ele não comia, assim como tudo o que ele houvesse tocado. Sabia que assim não tinha nada a temer. Tentei convencer os outros de que, segundo as descobertas científicas mais recentes, aquele sábio senhor não era contagioso; em vão. Alguns dias depois, quando sua condição deteriorou, frei Onofrio quis lhe aplicar os últimos sacramentos através da janela.

"O que você acha, Lucia?", perguntou De Pompignac perto do fim, num tom que denotava ainda querer iniciar um debate. "Quem está em melhor situação: o homem que morre inesperadamente ou o condenado que pode contar seus últimos dias?"

"Ambos perdem a mesma coisa", repliquei, "pois não possuem mais nada a não ser o dia de hoje."

O comentário o fez recolher-se em seus pensamentos. Para trazê-lo de volta, decidi provocá-lo com um lugar-comum qualquer: "Também pode acontecer de eu sair hoje para um passeio nas montanhas e ser esmagada por uma avalanche de pedras".

"Há uma diferença relevante", ele disse com serenidade, como se estivesse dando aula, "e me surpreende que você não a tenha percebido. Imagine que nós dois estejamos embaixo do mesmo bloco de pedras. Você vê que elas estão se movendo, sai correndo e volta saltitante para casa. Eu também as vejo. Percebo que estão exatamente acima de mim. Grito para você. 'Vai desmoronar!' E então elas deslizam. Vejo-as rolar na minha direção enquanto permaneço onde estou, à espera do golpe, com meus os pés presos numa armadilha de nuvens."

Senti-me envergonhada. Na pressa de acalmar o moribundo, recorri a um clichê que as pessoas costumam usar para disfarçar a impotência em situações semelhantes.

"Não se preocupe", meu paciente me assegurou. "Sua razão foi comandada pelas emoções. Eis a prova de que o conhecimento que lhe transmiti não invadiu seu coração. Coração e razão — harmonizá-los é o ponto culminante que o ser humano pode alcançar. Você não poderia ter escolhido um presente de despedida melhor."

Tentei convencê-lo a comer um pouco de mingau de mel, o único alimento que ainda conseguia engolir. Eu comia em uma tigelinha ao lado de monsieur, usando a colher de prata que ele havia me dado, como se estivéssemos num dos tantos jantares que havíamos compartilhado.

Por fim, foi obrigado a desistir.

"*Mes félicitations*, Lucia. Finalmente tivemos um jantar sem uma única eructação!" Foram suas últimas palavras.

Em sinal de gratidão pelos esforços que monsieur de Pompignac havia feito em prol da felicidade de sua filha, a condessa de Montereale decidiu vir a Pasiano especialmente para a cerimônia fúnebre. Como foi retida no caminho, o enterro teve de ser adiado além do que era permitido por lei. Ela chegou, por fim, em plena madrugada. Para surpreender minha benfeitora, e ao mesmo tempo fazer uma última homenagem a ele, pus pela primeira vez o vestido que ele havia mandado fazer para mim. Penteei o cabelo e o prendi conforme a moda. Apesar da tristeza que ensombrava aquela manhã, deixei-me conquistar por minha aparência: rodopiei algumas vezes como se estivesse ensaiando para um baile e treinei a reverência com que receberia a condessa.

No momento em que entrei no quarto, a senhora ainda estava no leito. A princípio não se deu conta de que era eu. Mesmo quando lhe disse meu nome, ela permaneceu confusa. Apenas quando falei algo no meu dialeto e pulei em sua cama como antigamente ela conseguiu acreditar que eu era Lucia. Abri as cortinas para que pudesse me ver melhor e me aconcheguei ao seu lado. Em segundos ela foi tomada de alegria, ao mesmo tempo que tentava captar a completa extensão de minha metamorfose.

Seu olhar então se fixou no meu rosto.

Toda a alegria desapareceu no mesmo instante. Ela se recolheu em choque e se pôs a gritar. Para acalmá-la, segurei-lhe a mão, mas isso só piorou as coisas. Como um animal encurralado, ela engatinhou para trás até a beirada da cama e se comprimiu contra a parede do quarto, distanciando-se de mim o máximo que podia. Embebeu um lenço em água-de-colônia e cobriu a boca com ele, enquanto fazia gestos frenéticos para que eu me afastasse. Eu ainda não sabia por que a surpresa preparada com tanto entusiasmo provocara o efeito oposto.

Não suportei a repulsa. Deixei-me cair ao chão, encolhida, fulminada por uma tristeza que podia compreender. Ver-me assim tão ferida aplacou a ferocidade da condessa. Antes de sair correndo do quarto, ela lançou um último olhar sobre mim. Estava em lágrimas, e pela primeira vez desde que eu a saudara, o antigo afeto superou seu horror.

"Querida criança... pobre criança...", dizia aos prantos, tremendo. "Minha adorada, quem poderá amá-la agora?"

2.

Muito do conhecimento que temos sobre nós mesmos, extraímos do olhar dos outros. Em primeira instância, confiamos mais em como somos vistos do que em como nos vemos.

Minha mãe entrou intempestivamente no quarto, avisada pela condessa. Eu continuava em prantos no chão. Ela se debruçou sobre mim e segurou meu rosto entre as mãos, examinando uma protuberância em uma de minhas faces. Seus olhos pareciam selvagens. Descobri neles compaixão e medo, em igual medida. Só então me dei conta da desgraça que me atingira.

Minha mãe me soltou e se ergueu. Petrificada, permaneceu em pé diante de mim, com os braços afastados do corpo, como se seus membros estivessem imundos. Sua ânsia de se afastar de mim era mais moderada que a da condessa, suponho que devido à familiaridade. Mas a essência do impulso era a mesma.

Desta vez, nenhuma de minhas objeções racionalistas enterneceria meus pais. Livro por livro, a biblioteca que monsieur de Pompignac havia me deixado foi devorada pelas chamas. Em seguida meu pai atirou no fogo meu vestido de baile, e fiapos do tecido azul subiram em espiral em meio à fumaça. Por fim, quando quase tudo já havia sido destruído, encontraram a máscara que ele trouxera de Veneza e a lançaram na fogueira. O couro que se derretia liberava um cheiro enjoativo. Uma fumaça amarelada, imunda, erguia-se passando por dentro dos buracos dos olhos, enquanto nas faces e no nariz bolhas se formavam e encarquilhavam. Desapareciam entre as labaredas os presentes de monsieur, assim como os planos que traçara para o meu futuro. Eu me sentia grata por ele não estar ali para presenciar a cena. Pensei em meu pai e em minha mãe, que seriam obrigados a testemunhar minha ruína. Será que alguma partícula daquelas pessoas decentes se sentiu justificada por ver que justamente a educação impusera entre nós uma cortina que nunca poderia ser arrancada? Assim que o corpo de monsieur de Pompignac foi carregado para fora e defumaram o quarto com bagas de zimbro, alojaram-me naquela mesma casinha nos limites da propriedade. Deitei-me na cama em cuja cabeceira havia me sentado ao longo dos últimos dias. Ali finalmente me acalmei. Fechei os olhos e, em minha mente febril , vi Giacomo.

Ele estava sentado ao meu lado, pressionando a mão contra o meu rosto, acalmando-me e sussurrando que não havia nada a temer, pois o amor superaria todos os obstáculos. Embora eu soubesse que não passava de fantasia, ainda assim me alegrava. Calculava quanto tempo teria de esperar até que meu noivo viesse me abraçar de verdade. Meu amor havia prometido retornar a Pasiano na Páscoa, para formalizar o compromisso. Fui acometida pela doença alguns dias antes do Carnaval. A suposição era que meu destino estaria decidido em menos de sete semanas.

Naquele momento, duas possibilidades me pareciam plausíveis: morrer ou curar-me. Tecia fantasias vívidas sobre ambas, sem dificuldade. Minha imaginação sempre foi perspicaz. Posso antecipar cada horror ou alívio, possível ou impossível, em todas as minúcias, e quando eles por fim ocorrem é como se os reconhecesse. Essa aptidão, que em geral aflige os que são dotados de uma natureza sensível, também pode ser uma fonte de força. De um lado, o espírito sofre em dobro ou padece por nada; de outro, ele se fortalece e se prepara para o pior.

Durante dois dias não houve mudança. Na madrugada seguinte, a dor me atingiu, como se eu estivesse sendo esfaqueada. Novas bolhas surgiram nos meus antebraços. A doença se manifestava externamente. Segundo o boticário, isso, combinado com minha pouca idade, aumentava as chances de sobrevivência. Assim, uma terceira possibilidade — à parte morrer ou me curar — estava dada.

A idéia me enchia de terror.

Pedi que me amarrassem. Meus pais quase não tinham forças para fazê-lo. Pedi-lhes desesperadamente, implorei chorando, mas quando continuaram a hesitar passei a amaldiçoá-los, dizendo que agiam como empregados voluntariosos. Supliquei-lhes que o fizessem como prova de seu amor. Eu me deitei de costas com as pernas abertas. Meu pai amarrou com cordas os meus tornozelos nos pés da cama. Minha mãe prendeu meus pulsos com uma tira de seda que foi transpassada por baixo da cama e retesada com um calço. Disse-lhes que em hipótese alguma deveriam me soltar; tinham de ignorar qualquer súplica minha até que eu estivesse completamente recuperada ou — se Deus assim o quisesse — até a minha morte.

Nessa posição, aguardei.

A cada hora novos abscessos surgiam, enquanto os velhos continuavam a inchar.

Passados três dias, a dor desapareceu de súbito. Pela primeira vez, dormi uma noite inteira, apesar do desconforto e do enrijecimento dos músculos.

Uma coceira me despertou — do lado de dentro das minhas

coxas. Não me pareceu desagradável, e num breve sono leve de fim de noite experimentei uma sensação prazerosa. A coceira começou então a se espalhar, descendo pelas minhas pernas até a sola dos pés e entre os dedos. Dobrei-os. Estiquei-os. Puxei as cordas. Elas roçavam, mas sem oferecer nenhum alívio. A mesma coceira começou a aparecer entre as minhas escápulas. Esfreguei-me contra os lençóis com todas as forças, sem nenhum efeito. A mesma queimação latejava agora no meu pescoço e flamejava entre os meus seios. Dali, rastejou até o bico do peito, onde minha pele já estava totalmente esticada por causa da retenção de fluidos; em todo o meu torso não sobrara nenhum pedaço de pele intacta. Eu contorcia as costas e esticava os ombros, sem trégua. Agora a irritação se espalhara e começava a lamber braços, mãos e dedos. Eu tinha medo de enlouquecer se não conseguisse me coçar.

Até que o prurido por baixo das pálpebras me surpreendeu. Durante todo o tempo, meu corpo parecia estar de tal forma em chamas que eu não havia considerado a possibilidade de que meu sofrimento pudesse piorar. Até aquele momento não me ocorrera que o meu rosto — o motivo primordial pelo qual eu ordenara que me amarrassem — havia permanecido intacto. Até aquele momento. Vagarosamente a coceira se espalhou por todo o rosto.

Compreendi então que meus maiores receios haviam se tornado realidade.

Meu pânico incitou a coceira, fazendo com que novas chamas incendiassem meu corpo. Testa, lábios, orelhas, queixo e faces — os vermes do tormento pareciam rastejar até a ponta de cada fio de cabelo. Rastejavam em meu pescoço e dali se espalhavam, contorcendo-se por sobre os meus membros.

Eu urrava. Minha mãe veio correndo. Agora eu lhe implorava que me soltasse, no mesmo tom grave que antes usara para lhe pedir que me amarrasse e se fizesse de surda às minhas súplicas. A pobre mulher tapava os ouvidos, como se o próprio diabo a estivesse tentando. Obriguei-me a permanecer calma, para descobrir uma estratégia mais inteligente. Mudando o tema da conversa por um instante, deixei escapar em tom casual que havia me enganado no início da doença e que não era mais necessário ficar amarrada, o que na verdade, naquela fase, viria apenas agravar meu estado. Se ela me amava e queria o melhor para mim, disse-lhe, devia me soltar. Isso a fez hesitar, percebi claramente. Em minha imaginação, já me via livre, exultando de alívio ao me coçar com as dez unhas que possuía, abrindo as feridas. Mas eu me controlei e, calculadamente, permaneci calada. Sorria com ar tranqüilizador, encorajando-a a acelerar a decisão. Em silêncio, ela andou de um lado para outro no quarto antes de se aproximar de mim, e então, como se tivesse mudado de idéia, deu as costas. Transformei-me num demônio. Vomitei sobre ela uma torrente de imundícies cruéis, a ponto de fazê-la sair correndo do quarto, desfeita em lágrimas, porém sem ceder às minhas súplicas.

Agora não havia mais esperanças de o fogo se extinguir.

Entregue a tais torturas e tomada pela febre, escolhi a única saída que podia vislumbrar. Fora um impulso natural, despido de qualquer hesitação, como o instinto de fugir de uma casa em chamas. Desisti do meu corpo, deixei-o para trás, abandonado. Era como se eu tivesse encontrado abrigo em minha alma. Recolhi-me, escondida, tremendo num cantinho.

No início, só via imagens de delírio. Passavam como uma tempestade, mas ainda eram preferíveis à realidade. Logo fui encontrando padrões repetitivos entremeados no turbilhão. As idéias começaram a se confundir, e eu tentava captá-las e organizá-las. Com o decorrer dos dias, consegui distingui-las. Reconheci lembranças da infância, minhas antigas expectativas para o futuro, o medo de ser obrigada a desistir de todas elas, meu amor por Giacomo, o sorriso e as mãos de meu avô, os cães de caça do capataz, as aulas de monsieur de Pompignac. Aprendi a distribuí-las em categorias cada vez mais claras e ordenadas, conforme os filósofos que ele e eu havíamos estudado juntos e que agora vinham em meu auxílio pela primeira vez.

Aprendi a controlar cada novo pesadelo desta forma: analisando-os, desmembrando seus elementos, isolando-os e atribuindo-lhes um lugar específico. Não sem dificuldades e interrupções; surgiam a todo momento pensamentos que ameaçavam me subjugar, mas repetidas vezes a razão conseguiu controlar meus sentimentos. E, quando isso acontecia, o triunfo também era meu.

Assim, criei ordem do caos, e sem me dar conta fiz uma compilação da biblioteca da minha vida, em escala menor, mas não tão distinta do projeto a que Chambers ou Diderot haviam se lançado. Cada elemento catalogado e inserido em seu lugar, os pedaços avulsos assimilados em rubricas criteriosamente urdidas. Fui bem-sucedida. A tempestade amainou. Eu a lacei com o raciocínio, como se diz dos barqueiros que prendem os ventos com nós de marinheiro.

Esse foi o ponto de virada — e foi também uma revelação. Se o raciocínio me ajudara a superar tais provações, assim eu argumentava, poderia me salvar de qualquer situação. Era como se minha doença tivesse adquirido sentido, como se tudo tivesse tido como propósito essa percepção. Decidi, caso viesse a me recuperar, que dali em diante minha vida seria conduzida pela razão. Decisão tomada, tive coragem de abandonar minha fortaleza nas nuvens e retornar às ruínas do meu corpo.

A febre cedeu.

A coceira extinguiu-se devagar.

Quando recuperei a consciência, vi meus pais ao pé da

cama e, detrás deles, através da janela, o rosto aterrorizado de frei Onofrio. De uma distância segura, o sacerdote administrava a extrema-unção. Agradeci-lhe e disse que não faria mais uso de seus serviços.

Minhas palavras tiveram um efeito surpreendente. Meu pai se pôs a chorar — coisa que eu nunca o tinha visto fazer —, minha mãe caiu de joelhos diante de mim e Onofrio desapareceu, pálido como um cadáver, embaixo do parapeito. Eu estivera aparentemente morta por três semanas; eles haviam renunciado a toda esperança e decidido livrar-me de minhas amarras. No momento em que aguardavam meu último suspiro, eu falara claramente, em alto e bom som.

Do jardim, Onofrio proclamava que minha cura era uma intervenção divina realizada em honra do Domingo de Ramos, e que em toda a sua vida de religioso ele jamais vira um milagre tão irrefutável. Sem dúvida, mais uma especulação pia havia surgido. Eu tinha a minha própria declaração: repliquei que ele era um tolo, que seu Deus não passava de uma invenção para explicar o incompreensível a palermas sem juízo. Isso o fez fugir às carreiras, enquanto minha mãe repetia três vezes o sinal-da-cruz.

De toda forma, estava curada e era Domingo de Ramos! Teria agora uma semana inteira para reunir forças antes da chegada de Giacomo. Imediatamente pedi uma sopa, frutas e carne vermelha, pois meu apetite voltara, e comi tudo aquilo de que os outros tinham de se privar, devido ao jejum da Quaresma. Bebi o máximo que pude e fiz gargarejos com malvasia para eliminar o gosto ruim da boca. No início, a própria recuperação parecia me fatigar, de modo que após cada refeição eu caía num sono profundo, porém a cada vez parecia despertar mais cheia de energias.

No terceiro dia, amanheci bem-disposta. Quis me levantar, andar um pouco e me lavar. Meus pais trouxeram-me toalhas e uma jarra de água, roupas limpas e uma camisola engomada, uma escova de cabelos, sabão e água de lavanda. Por fim, pedi um espelho.

Meus pais se entreolharam.

Pelo olhar deles, eu soube.

Minhas precauções salvaram meu corpo do pior. Como estava amarrada à cama, durante minha loucura não pude me coçar ou causar feridas com as unhas. Entre as centenas de bolhas que cobriram meu corpo, apenas umas poucas se encheram de pus. Aqui e ali via-se uma crosta de ferida. Nesses lugares, pequenos sinais ficariam para sempre em meu corpo, mas aparentemente nada se desfigurara durante aquele período de provação.

Não se podia dizer o mesmo do meu rosto.

Meus pais estavam relutantes em trazer um espelho tão prontamente. Para privá-los de qualquer tristeza desnecessária, fingi que a demora não tinha importância. Entretanto, assim que eles se retiraram fui pegar o pingente de meu avô. Era pequeno, mas seria suficiente. Pude me ver através dos olhos de santa Lúcia.

As cordas que me prendiam à cama não impediram que eu sacudisse a cabeça com fúria. Eu esfregara o rosto contra o colchão, para abrir as feridas das pálpebras, cobertas de pus. Minha mãe me contou depois que tentara segurar minha cabeça, cujo tamanho crescera um terço, e esforçara-se em reduzir a queimação com panos úmidos. Havia permanecido muito tempo junto a mim, prendendo minha cabeça entre os joelhos e as mãos, a fim de proteger meu rosto. Em vão. A coceira fora intensa demais, o tormento penoso demais. Nada pôde me impedir. Entreguei-me ao que a natureza da doença ditava e friccionei minha pele onde pude — faces, testa, orelhas, boca e nariz —, transformando os travesseiros mais macios e os lençóis mais delicados em instrumentos de automutilação.

Passados tantos anos, ainda tenho dificuldade em descrever a devastação que o espelho me revelou. Basta dizer que não reconheci a mim mesma. Uma pele avermelhada, retesada, crescia sobre o que devia ter sido uma grande ferida. No devido tempo, essa nova pele se recuperaria, ainda que repleta de irregularidades, com sulcos profundos e grossas intumescências. O lado esquerdo do meu rosto, porém, fora completamente destruído por uma convergência de cicatrizes.

Sentei-me e observei, obcecada, minha imagem no pingente. Hipnotizada por meu próprio reflexo, não via que através do vidro a luz do sol continuava a dançar sobre os ornamentos artísticos de meu avô, cintilando e reluzindo como sempre, ainda que por detrás daquela aparição.

Giacomo chegou na Sexta-Feira Santa, antes do esperado. Nos dias anteriores eu havia ponderado sobre todas as alternativas, sem chegar a decisão alguma. Eu bem compreendia o que esperava por mim, mas ainda não conseguia agir.

Vi meu amor por entre as frestas das persianas fechadas. Ele caminhou no pátio interno em suas melhores roupas, apressado, eufórico, excitado pelo retorno. Queria me ver imediatamente.

Eu tinha quinze anos. A decisão que se apresentava a mim exigia mais experiência do que eu poderia adquirir em oitenta anos. Nunca havia saído de Pasiano. Eu conhecia o mundo apenas dos livros. Além dos limites da casa, só conseguia imaginar a vida em Veneza, e esta surgia vívida e claramente. Graças à condessa, eu tinha perfeita noção do julgamento impiedoso dos melhores círculos sociais venezianos, nos quais tudo era decidido pelas aparências. Minha "tia" tentara me preparar com suas histórias para as batalhas que eu enfrentaria ali, em razão da minha origem humilde, mas a doença havia alterado tudo. E agora eram justamente os seus avisos que vinham interromper para sempre o trajeto da minha felicidade.

Era óbvio que estava excluída a possibilidade de que eu viesse em algum momento a ser aceita naquela cidade. Desfigurada, teria de viver como um pária. E Giacomo, se casasse comigo, compartilharia o mesmo destino.

Enquanto essa noção se consolidava, mergulhei num estado de calma muito peculiar. Pouco tempo antes, durante as febres, a razão havia sido meu último recurso, e decidi que ela passaria a ser a minha bússola. Agora a invocava de novo. Estava bastante consciente das minhas emoções, por misericórdia de Deus — e *como* estava! Meu coração pulsava com fúria, minha alma urrava enquanto eu seguia os passos de Giacomo no pátio, à espreita atrás das persianas, na escuridão do meu esconderijo.

Giacomo estava muito mais bonito do que em minha lembrança; o garoto havia se transformado em homem. Se eu não tivesse lutado com todas as forças contra meu impulso, teria corrido até ele e me lançado aos seus pés. Teria lhe contado toda a história, teria lhe implorado que me aceitasse como eu era agora.

No entanto, abafei nos travesseiros os gritos selvagens que pareciam vir do âmago da minha alma. Estava tudo em carne viva. Meus sentimentos estavam dominados e prontos para se entregar à razão. Passada a violência do choque inicial, minha fria deliberação foi como o banho gelado que me deram logo depois da doença, para que as cicatrizes do meu corpo se contraíssem com o contraste de temperatura e, em seguida, a pele pudesse se distender mais fácil.

Este era o meu dilema: Giacomo era a personificação da minha felicidade. Se não me rejeitasse por minha deformidade, poderíamos nos casar. Eu teria o meu amor ao lado por toda a vida. Essa alternativa, contudo, exigiria que ele desistisse de suas ambições. O casamento excluiria qualquer possibilidade de uma carreira. Isso o faria infeliz, e seria um tormento vê-lo sofrer. Sua infelicidade também seria minha. Se eu obedecesse ao meu coração, atiraria a ambos na ruína.

Resistir ao meu desejo, deixando Giacomo livre para perseguir seus sonhos e torná-los realidade: essa era a outra possibilidade. Eu seria desgraçadamente infeliz sem ele, mas não mais infeliz do que se o assistisse na miséria. Encontraria consolo em saber que ao menos *ele* seria feliz. Talvez ele viesse a se sentir grande tristeza por minha causa, porém não por muito tempo, caso eu conseguisse fazê-lo acreditar que o havia traído — ele seria tomado de ódio e me amaldiçoaria, mas acabaria por me esquecer.

Esse era o meu raciocínio.

A primeira alternativa geraria dois infelizes; a segunda, apenas uma.

A lógica incontestável tornava simples a escolha.

Eu agia mecanicamente, sem dar ouvidos aos meus sentimentos, a tal ponto que os declarei três vezes mortos para mim mesma, em voz alta. Dava os passos que era preciso dar, com a mesma determinação que tinha visto num camponês de Portobuffolè. O homem fora mordido por uma víbora bem diante dos meus olhos. Assustada e impotente, tentei acalmá-lo dirigindo-me a ele com uma voz suave, mas ele não me via nem escutava. Suas veias incharam e se tornaram negras. Com a maior serenidade, executou aquilo que devia ser feito para evitar o pior. Pegou o serrote, prendeu com força sua coxa, amputou a perna abaixo do joelho e cauterizou a ferida — sem hesitar uma única vez.

Com convicção similar e as emoções paralisadas, era assim que eu deveria agir. Incumbi minha mãe de informar Giacomo de que eu partira de Pasiano. Consternada com a idéia de mentir ao homem que me amava tanto quanto ela mesma, recusou-se.

Disse-lhe então que aquilo que hoje era mentira, amanhã

seria verdade. Giacomo com certeza voltaria a Pasiano. Minha permanência ali seria era impossível.

Isso a destruiu de tal forma que não ofereceu mais resistência. Se meu noivo perguntasse sobre os meus sentimentos, disse-lhe, ela deveria lhe comunicar que eram inexistentes. Eu havia me deixado seduzir pelo mensageiro L'Aigle e havia fugido sem deixar nem um bilhete, de forma que não faria sentido alimentar esperanças e esperar por mim.

No momento em que minha mãe entrou no quarto do jardim, no qual Giacomo fora alojado uma vez mais, sua expressão facial era tão lacrimosa que ele não teve como não acreditar. Para se recompor das notícias, precisou de uma hora inteira. Só então lhe serviram uma torta, para que se animasse um pouco. Levaram-lhe também um pouco de pão e algumas frutas, para a viagem de volta.

Nesse intervalo, clamando pela assistência da razão, solicitei uma audiência com o conde Antonio. Ao me receber, disse-lhe que vinha coletar os cinco cequins, caso a oferta ainda estivesse de pé. Sua surpresa durou pouco. Através dos cílios semicerrados, o velho senhor analisou os danos em minha face. Por um instante, acho que cogitou a possibilidade de barganhar, mas acabou desistindo. Abriu a gaveta e pôs a quantia sobre a mesa. Recostando-se no espaldar da cadeira, desabotoou as calças. Eu deveria me despir vagarosamente diante dele, disse-me com uma voz compassiva.

Não foi terrivelmente repulsivo. Tratava-se de algo que precisava acontecer, nada mais. Nunca fui desse tipo de mulher que repugna os aspectos carnais da vida e só se entrega a um amor profundo. Ao contrário. Tenho uma natureza animal. Desde cedo, sabia que essa era a minha inclinação. Por isso o negócio que se apresentava diante de mim era menos um infortúnio abjeto do que uma necessidade lógica.

No decorrer da transação, percebi que a praticidade que a inspirava condizia com a nova imagem que eu era obrigada a formar de mim mesma. As fronteiras se tornaram mais claras. Estar ciente disso me confortou. Dentro desses limites, podia me sentir segura. Naquele momento, foi importante perceber que alguém podia me desejar, apesar da devastação; eu não estava completamente arruinada como mulher.

Daria tudo para ter descoberto esse prazer com Giacomo, mas, naquelas circunstâncias, me resignei. O velho montou em mim, desajeitado. Não conseguiu esconder a felicidade ao descobrir que eu ainda era virgem e passou uma eternidade estudando o fenômeno, usando seus dedos grossos para me abrir tanto quanto podia. Quando finalmente estava dentro de mim, bateu palmas como uma criança.

Mesmo os homens mais grosseiros deixam de ser ameaçadores na cama. Eles podem ser duros e inconseqüentes, mas a euforia não deixa espaço para cálculos. Na presença da razão, podem infligir dor propositadamente, porém qualquer dano causado na cama só pode ser atribuído à falta de habilidade; nunca é intencional, ao contrário do que fazem em outras circunstâncias nas quais perdem totalmente o controle de si. Tornam-se fáceis de agradar como crianças e, uma vez saciados, mostram-se tão agradecidos quanto elas.

Gratifiquei o conde de Montereale com esse prazer e até obtive alguma satisfação nisso. Não me vanglorio. É apenas uma constatação, não me causa nem orgulho nem vergonha. Também mais tarde haveria ocasiões em que agradaria a homens que me enojavam — homens estúpidos, deformados ou decrépitos. Dei prazer a eles sem outro objetivo a não ser a esperança de que alguém faria o mesmo por mim: dar-me a sensação, ainda que por um breve momento, de que eu era bela e desejável.

Sob o corpo suado de Antonio Montreale, o raciocínio veio mais uma vez em meu auxílio. Com assombro, descobri que era possível fitar aquele rosto carnoso e ruborizado — e até sorrir para ele — sem realmente vê-lo. Aquela visão nunca mais retornou, nem mesmo em meus pesadelos.

A fantasia é o refúgio mais autêntico.

Ali, e somente ali, eu estava ao lado de Giacomo, naquela noite e em muitas outras.

3.

Ainda estava escuro quando saí. Não me despedi dos meus pais, por medo de que sua tristeza me aprisionasse. O amor deles me fizera chegar àquele ponto. Agora, devia seguir sozinha, caminhar com minhas próprias pernas. O primeiro passo havia sido dado com monsieur de Pompignac. Para ser capaz de dar o segundo, tomava suas palavras como guia: carregando minha própria bagagem, teria de fugir do mundo. Peguei uma das cestas de palha usadas pelos caçadores para guardar os faisões recém-capturados. Graças às alças largas, que distribuíam igualmente o peso pelos ombros, podia-se carregar um fardo considerável com elas. Não que eu tivesse muito o que levar comigo. As roupas que possuía ocupavam pouco espaço. Esperei um momento oportuno e fui à biblioteca do conde. Ali, escolhi alguns livros que um dia havia prometido a monsieur de Pompignac que leria. Num impulso, retirei de seu esconderijo secreto a *História de dom Bougre, porteiro de Chartreux*. Essa obra valiosa certamente não me pertencia, mas não hesitei um momento sequer. Minha consciência dizia que eu a merecia. Talvez imaginasse que, como conseqüência do furto, o conde pensasse duas vezes antes de forçar outras jovens a ver sua pornografia. De todo modo, sabia que aquelas eram ilustrações raras e que vendê-las poderia gerar um dinheiro de que eu talvez viesse a precisar.

Assim carregada, tomei o caminho para Vilotta. Cheguei à vila com os primeiros raios de sol. Os camponeses partiam para suas terras. A maioria me conhecia. Escondi-me deles numa vala ao lado da estrada. Aos poucos, comecei a pressentir o peso da aventura à minha frente. Comecei a sentir o peso de chumbo em meus pés, à medida que as fazendas de Pasiano iam ficando para trás. As alças das cestas machucavam minhas costas. Temi ser apanhada pelo sono que eu não dormira na noite anterior, mas não aconteceu. Crescia em mim uma força desconhecida que me mantinha alerta. Eu não havia feito planos e não tinha objetivo. Tampouco sentia arrependimento ou medo. Ao contrário, via-me tomada de uma felicidade inexplicável, o que me parecia quase inadequado. Eu estava abandonando tudo o que me era familiar. Havia perdido tudo o que me era querido. Naquele dia, desistia para sempre da minha vida, exatamente como antes, audaciosa e determinada, havia desistido de Giacomo. Tinha até vergonha de me sentir tão cheia de vigor, apesar da tristeza, e me perguntava como seria isso possível. Foi uma exaltação que persistiu em mim durante semanas e me encheu de coragem para enfrentar os obstáculos. Caminhei na direção sul — na verdade, apenas porque os Alpes me pareceram desnecessariamente complicados. Primeiro fui para Rovigo, seguindo depois para Ferrara e de lá para Bolonha, depois de muito perambular pela planície. Meu coração flamejava excitado durante o percurso, pois minha vida mostrava agora sua verdadeira face: ameaçadora. Nós duas, entretanto, éramos adversárias à altura uma da outra e nos encarávamos olhos nos olhos, como rivais na manhã de um duelo.

Bolonha me agradou. Havia ali mais habitantes do que eu jamais vira. Isso tornava mais fácil passar despercebida nas ruas. Se alguém me apontava, eu podia fugir entre as pessoas na feira, e, quando um grupo de crianças me seguia, podia desaparecer por alguma ruela repleta de transeuntes. A vida era mais dura do que no campo. Sem o menor pudor, as pessoas se sentiam autorizadas a fazer comentários sobre minha aparência. Doía, mas causava menos dano do que os comentários feitos pelas costas. Também era mais difícil encontrar trabalho. Com tal abundância de moças bonitas na cidade, ninguém dava preferência a uma feia. Eu era obrigada a dar provas de que possuía outras qualidades. Empenhando-me mais do que minhas concorrentes, contentando-me com menos dinheiro e sendo mais submissa, consegui ser contratada vezes e vezes. Também tive de engolir humilhações e abusos. Aprendi a aceitar o que teria sido insuportável a outros, lição que me seria muito útil mais tarde. Uma vez, quando servia numa casa de refeições, alguém gritou que minha carranca corroída lhe estragava o apetite, mas normalmente os sinais eram mais sutis. As lojas em que me empreguei perdiam clientela. Quando trabalhei para um advogado, escrevendo as minutas, houve clientes que desapareceram, e as meninas da casa de família que limpei por um breve período não tinham coragem de se aproximar de mim. Em geral, preferia não esperar que o patrão me confrontasse com os fatos; adiantava-me em pedir demissão, saindo em busca de um novo trabalho. Quando lembro dessas coisas, não chego a compreender como foi possível que eu não me abatesse, que não perdesse a coragem. Mas assim foi. Quando se é jovem, mesmo os fracassos mais lamentáveis podem nos empurrar para a frente.

Passados alguns meses, consegui emprego na residência do casal Morandi Manzolini, um lugar onde se dava menos importância às aparências do que aos resultados, e concordei em trocar meus serviços por alojamento e comida. Ele era membro da Accademia della Scienze, onde lecionava anatomia. Como não agüentava ver sangue, a esposa, Anna, executava as dissecações para ele. Em seguida, confeccionava modelos de cera extremamente precisos de todos os crânios abertos e dos órgãos dissecados, para que fossem utilizados nas aulas do marido. Em paralelo, fazia, ela também, suas pesquisas. Minhas tarefas eram cozinhar e dar conta dos afazeres domésticos durante o dia, obrigações para as quais ela não dispunha nem de tempo nem de talento. Tinha as noites livres para estudar. Eles não faziam nenhuma objeção aos meus estudos, e, depois de certo tempo, ganhei livre acesso à sua biblioteca. Esporadicamente recebiam convidados. Nessas ocasiões, autorizavam-me contratar ajudantes e me encarregavam de uma quantia considerável para os preparativos do banquete, a ser gasta como me parecesse melhor. Eu, que não possuía nada, poderia facilmente tê-los ludibriado.

"Como pode uma pessoa provar-se digna de confiança, se primeiro ninguém lhe deu provas de confiar nela?", disse a signora ao notar que eu me surpreendera com sua ingenuidade. "É uma dádiva que poucos recusam quando lhes é oferecida." O tema a levou a um lamento mais geral sobre as concepções equivocadas que predominavam na sociedade a respeito das mulheres; elas pareciam despojadas de pensamento próprio, sendo toda e qualquer decisão tomada pelo marido. "As novas descobertas científicas vão pôr fim a isso", afirmou, "pois desafiarão igualmente o intelecto de homens e mulheres." Tendo aprendido a lição, nunca mais a incomodei com assuntos domésticos.

A maioria dos convidados dos Morandi era da mesma opinião. Provinham todos das melhores famílias, e eu tinha dificuldade em compreender como pessoas de vida tão confortável podiam cultivar a idéia de que as mulheres se diminuíam ao confiar tão cegamente nas emoções e de que só seriam de fato livres quando permitissem que a intuição fosse suplantada pelo intelecto. Conversavam sobre isso com tal paixão, que inadvertidamente acabavam por contradizer o argumento. Eu nunca me intrometia nessas discussões, ainda que repetidamente perguntassem minha opinião. Voltavam a insistir, em vão. Eu me mantinha firme. Parecia-me inapropriado intimidar desse modo uma empregada da casa — condição que parecia não lhes importar. Alegavam estar contados os dias de senhores e serviçais, pois o mundo em breve seria dividido em pessoas instruídas e pessoas ignorantes, sendo tolerável esta última desigualdade tão-somente porque passível de ser eliminada por qualquer um, por meio do estudo.

Durante os debates, eu preferia me esconder na biblioteca. Seu otimismo cego, entretanto, era contagioso. Embora eu absolutamente não compartilhasse dele, desfrutava daquela atmosfera impregnada de suas expectativas. Fortalecia minhas esperanças de que talvez, nesse clima, um dia também o meu futuro viesse a melhorar.

O otimismo que imperava entre as mulheres da cidade era alimentado por Prospero Lambertini, primo da signora Morandi e antigo arcebispo de Bolonha que na época ocupava o trono papal com o título de Bento XIV. Ele patrocinava generosamente a universidade, sob a condição de que ali se reconhecesse "a habilidade e o conhecimento feminino" e se acolhessem mulheres cientistas. A algumas delas, como Laura Bassi, amiga íntima de minha patroa, bem como à própria Anna Morandi Manzolini, o Santo Padre havia prometido cátedras. Segundo a signora, essa era a prova de que também em Roma a crença no intelecto havia substituído para sempre a crença no espírito. Enquanto isso, uma comissão papal, aliada a uma delegação de mulheres eruditas, empenhava-se em obter o reconhecimento oficial da "inteligência e da capacidade das mulheres" pelas autoridades acadêmicas e civis. Certo dia, testemunhei a elaboração de uma declaração a ser assinada por todas as instituições acadêmicas. *Femmes savantes* da Europa inteira compareceram à casa dos Morandi Manzolini na ocasião; eu lhes servi sardinhas.

Foi uma dura incumbência. Nunca tinha visto tantos convidados reunidos de uma só vez nos meses em que estava empregada ali. Estava nervosa e pensava em minha mãe, que me contara que às vezes fora responsável em Pasiano por um número dez vezes maior de pessoas. Isso era completamente novo para mim. Confundiam meu conhecimento com maturidade e me sobrecarregavam com tarefas para as quais eu não fora preparada. Embora doze criados extras tivessem sido contratados para a semana, não tive praticamente um minuto para mim. Pela primeira vez tive de dar ordens, e confiava em que estas fossem executadas. Surpreendentemente, constatei que para isso era necessário ter coragem e confiança em si. Naquele momento, eu não era exatamente a imagem dessas qualidades. Ao contrário, os comentários de estranhos que ouvia nas ruas tinham arruinado as certezas que meus pais haviam incutido em mim com tanto amor. O que depois de tudo restara de seus esforços fora destruído por um belo estudante que me cortejara por alguns dias, somente porque fora desafiado numa brincadeira. Essa aposta, ele a revelaria um dia na presença de seus amigos, para hilaridade geral. Fosse como fosse, este era o fato: a opinião dos outros sobre mim valia mais do que a minha própria.

A confiança com que a signora Morandi me honrou foi minha salvação. Aceitei a mão que ela me estendeu e, com todas as forças, fiz o melhor que pude para não decepcioná-la. De início, tentei exercer a superioridade sobre os meus doze subordinados como um ator que interpreta um rei, com voz grandiloqüente e gestos artificiais, como se quisesse apagar minha feiúra com gritos. À medida que as coisas caminhavam, percebi, entretanto, que me ouviam melhor quando eu lhes falava na minha própria pele, digamos, e se vez por outra me permitia expor minhas dúvidas de maneira honesta e franca. Notei que as pessoas se aproximavam de mim — atraídas pelo meu caráter — apenas quando eu mesma tinha a coragem de ignorar minha aparência. Assim, conquistava o respeito delas na exata medida em que reencontrava a mim mesma.

Fui instruída a tratar todos os convidados igualmente, desconsiderando titulação e hierarquia, "pois todos eles", disse a signora, eram "igualmente sábios, e a sabedoria é a nova nobreza!". Muitas das mulheres convidadas possuíam nomes que eu nunca ouvira e que me soavam intimidantes: Zenóbia e Urânia, Alcmene, Celimena, Cleantes e Anamandra. Uma após a outra, elas iam sendo chamadas durante os debates. Agradava-me escutar a conversação enquanto servia café, assim como antigamente me deliciava em ouvir o nome das fadas e dos feiticeiros nas histórias que meu pai me contava antes de dormir. Imaginava os mundos de que elas eram as regentes, como rainhas dos espíritos.

Seus dias eram longos. Durante a manhã, ocupavam-se com palestras nas disciplinas em que se distinguiam e, à noite, analisavam mais informalmente suas paixões e vidas. Entre os dois eventos, reuniam-se para as refeições. Eu permanecia atrás de um biombo ao lado do bufê; dali podia observar, através de uma gelosia, se estavam sendo atendidas corretamente e se as taças voltavam a ser servidas. Ouvia a conversa das convidadas, é claro; algumas expressavam-se em latim, mas a maioria adotava o francês. Todos os dias discutiam-se novas descobertas. Regularmente, balões, alambiques e retortas eram armados para a realização de experimentos. Ávida por conhecimento como eu era, tentava assimilar tudo. Normalmente a matéria era superior ao meu entendimento, e, como seria impertinência pedir explicações sobre tais matérias abstrusas, minha atenção acabava se dispersando. Nesses momentos, estudava as convidadas: seu semblante e o modo como reagiam às coisas.

Apenas uma delas me descobriu em meu esconderijo. Um dia, seu olhar cruzou o meu e ela continuou a me fitar de maneira insistente, constrangedora, porém sem deixar de ser amistosa. Tratava-se de uma condessa francesa cuja presença eu já havia notado. Vestia-se com tanta elegância quanto as outras, era igualmente bonita e eloqüente, mas, ainda assim, pareciam acolhê-la com reservas em seu círculo social mais íntimo. Respondia sempre de bom grado às interpelações, embora nunca tomasse a iniciativa no grupo. Seus cabelos ruivos, de um vermelho flamejante, eram armados para o alto como uma ampla coroa. Para não desmanchar o penteado, ela mantinha o pescoço ereto e a cabeça levemente para trás, dando-lhe um aspecto ao mesmo tempo gracioso e arrogante. Embora eu já tivesse ouvido seu nome algumas vezes, naquele exato momento não conseguia me lembrar dele, tão assustada fiquei com o olhar que fixou em mim. Havia nele algo de aterrorizado e suplicante — algo que não pude compreender. Por um instante, tive a impressão de que chorava. Seus olhos estavam úmidos. Eu os vi cintilar. A expressão do rosto, contudo, exprimia o contrário. Ela sorria com determinação e com um orgulho de quem estava acostumada a vitórias.

Embora estivesse no meu direito estar naquele lugar, supervisionando o serviço, tive a sensação de ser flagrada em erro. Ainda observei mais um pouco o grupo, fingindo que ela não chamara minha atenção, mas em seguida acenei para que um dos empregados viesse me substituir e me retirei para buscar abrigo entre os livros de minha signora. Permaneci escondida ali até que as convidadas se recolhessem a seus quartos e as mesas estivessem limpas. Na verdade, sem ler, deixei-me ficar um pouco mais ali, rodeada por tratados médicos, cirúrgicos, filosóficos e astrológicos, por instrumentos científicos e pelos modelos de cera dos órgãos do corpo humano moldados pela signora Morandi, ordenados por função. As estantes superiores abrigavam volumes que descreviam, catalogavam e ilustravam todas as espécies animais e vegetais conhecidas, assim como todos os minerais e elementos, seus efeitos, aplicação e origem; a própria Terra, com seus continentes, mares e oceanos, com suas vilas, cidades e os caminhos que levavam até elas, estava documentada em cerca de trinta atlas.

A paz profunda que sinto nas bibliotecas vai muito além do silêncio. O papel abafa não apenas os sons, mas também o rumor dos meus pensamentos, cuja agitação aceita se render às forças do conhecimento encerrado entre aquelas paredes. Um conhecimento inexaurível, que jamais caberá em meu cérebro. Isso me acalma, por me lembrar que não preciso saber e compreender tudo: muito já se escreveu, e o que foi escrito está ao alcance da minha mão. É um alívio. Ainda que eu não possa assimilar nada além de uma fração desses fatos, eles existem, estão ali. O mundo foi classificado; se eu tiver necessidade, posso pesquisá-lo. Se a realidade está sob controle e é verificável, posso me desligar dela. Talvez seja este o propósito de todos aqueles escritos: registrando o mundo exterior nos mínimos detalhes, eles me liberam para descobrir o meu universo íntimo, que somente eu e ninguém mais pode conhecer.

Em pensamento, comecei a desenhar o mapa dos meus sentimentos e a traçar o caminho que havia percorrido. Um ano se passara desde que fugira de Pasiano. Naquele momento, fora forçada a viajar às regiões mais remotas do mundo das minhas emoções, a lugares onde o clima, instável, oscilava a cada momento. Fui obrigada às vezes a vagar por lagos gelatinosos em que um veneno paralisara toda a vida. Havia cruzado as paisagens mais desoladas com o olhar rigidamente voltado para a frente, como um cavalo assustadiço, cerceado por antolhos, consegue atravessar um território hostil. Somente assim, mantendo reto o olhar, seria capaz de escalar os cumes e descobrir como deixar os desfiladeiros sem enlouquecer e sem perder a esperança — na verdade, se preservei o ânimo e a razão, foi justamente porque ao longo da travessia nem sempre tive consciência dos precipícios que me ladeavam. Não podia me permitir parar e absorver a paisagem. Desde minha partida, não havia chorado uma única lágrima. Agora, passado um ano, o caminho me parecia suficientemente aplainado. O elemento estranho se tornara familiar. Distanciada da minha tristeza, eu me atrevia enfim a ver quais cartas estavam na mesa.

Devo ter adormecido enquanto devaneava pelos meus sentimentos. Quando despertei, vi à minha frente o rosto da condessa francesa, que se debruçava sobre mim com uma perna apoiada no assento do sofá, como quem se prepara para montar a cavalo.

"Estava observando o seu rosto", disse-me. "Foi varíola?"

Ela me examinava de alto a baixo. Não tendo por onde fugir, tentei me encolher entre as almofadas. Seu semblante imóvel parecia pálido em contraste com os cabelos, que se erguiam altos e amplos, grandes e em chamas como um sol poente. Ela continuava a flutuar acima de mim, da esquerda para a direita, da direita para a esquerda, retornando mais uma vez e observando a devastação.

"Agora dói, mas depois você será grata. A beleza é uma masmorra onde definhamos e somos esquecidas. Você escapou dela. Essa sabedoria não lhe é útil no momento, mas você ainda a descobrirá, garanto-lhe. Peço apenas que se lembre da mulher que lhe contou isso pela primeira vez." Com essa frase, sua curiosidade pareceu satisfeita. Ela se ergueu e me deu as costas, como se tivesse perdido todo o interesse em mim. Por um bom tempo, caminhou na biblioteca estudando os volumes nas estantes. De vez em quando, tomava um exemplar e o folheava. Por fim, subiu numa escada de madeira, retirou um fólio de uma prateleira alta, abriu-o e ficou lá em cima lendo, de pernas cruzadas e saias levantadas como uma camponesa sobre um monte de feno. Pareceu-me uma atitude tão inapropriada que imaginei se não teria se esquecido da minha presença ali. Para não embaraçá-la, peguei silenciosamente o meu livro sobre a mesa e deslizei para fora.

"Você lê?"

"Quando me sobra tempo."

"Aí está! O exemplo ideal: por você ser empregada, concluí imediatamente que não sabia ler." Com um salto, desceu da escada. "Vê como nos enganamos facilmente ao julgar as aparências?"

"Talvez por isso a beleza seja uma grande vantagem, senhora."

"Na verdade, não. Quando se vê algo bonito, considera-se que não é preciso ir além. Não continuamos a observar, interrompemos a exploração. Não nos aventuramos a continuar cavando, e, assim, nunca chegamos a saber o que há sob a superfície. A riqueza invisível jamais será extraída. Por isso, não compensa levar nossos tesouros do lado de fora. Se um diamante bruto não fosse tão feio, ninguém teria tido a idéia de lapidá-lo."

"Agradeço-lhe", repliquei, tentando reprimir minha indignação. "Para alguém a quem a feiúra não acarreta humilhações, a senhora parece compreender profundamente o assunto." Queria ir embora, mas ela me barrou a passagem. Tomou-me o livro das mãos, leu a lombada e pareceu impressionada: era um volume em francês.

"Como se não bastasse, Descartes!", exclamou, dando um passo atrás para me observar melhor. Fixou-me pensativa, como que para se certificar de que não estava sendo ludibriada. Ao mesmo tempo, sorria um meio sorriso atravessado, deixando ver a ponta da língua entre os dentes. "Diga-me, agora a sério: de onde foi que a signora Morandi desencavou você?" Segurando minha mão, ela a estreitou como fazem os homens entre si. "Meu nome é Zélide. E o seu?"

Eu estava magoada. Ela falava tão abertamente do meu defeito, que eu sentia necessidade de me esconder. A última coisa que queria era lhe dizer meu nome verdadeiro. As Lucias proliferavam naquela região como moscas em volta do rabo de um cavalo. Queria evitar que a condessa transformasse minha origem humilde em mais uma de suas teoriazinhas.

"Meu nome é Galathée", respondi, na esperança de vencê-la. Ela ficou boquiaberta, mas eu insisti. "Galethée de Pompignac."

Ela imediatamente desatou numa gargalhada. Puxei a mão, virando-me furiosa e determinada a ir embora, mas ela me segurou firme pelos pulsos e me beijou em ambas as mãos, ignorando o meu enorme desconforto.

"Bem, Galathée de Pompignac, não preciso me preocupar com você, pelo que vejo. Você já está lapidando aquele seu diamante. Brilhante! Gema verdadeiramente preciosa!" Em seguida, tornou a me beijar. No lado errado do meu rosto. Calculadamente.

Na manhã seguinte, quando eu servia o desjejum, Zélide captou meu olhar e piscou para mim como se fôssemos amigas ou cúmplices. Permaneci impassível, sem mover um só músculo, pois suspeitava que iria se vangloriar com as amigas de sua maneira de lidar com os subordinados. Um pouco mais tarde tentou de novo, com igual resultado. Pareceu consternada com minha indiferença. Levantou-se e, sem comer nem beber nada, apressou-se na direção do jardim.

Na manhã seguinte, por volta das dez horas, levei bolos e frutas para as damas e, como todas as manhãs, logo retomei meu posto atrás do biombo, de onde podia seguir suas argumentações. Alternando-se, elas discorriam sobre o tema do dia:

desta vez, a extração de energia a partir da água. A maioria delas deu sua pequena contribuição, mas Zélide se manteve alheia, e, quando saí às pressas para tentar alcançar o mercado da piazza Malpighi antes do meio-dia, ela não continuou à mesa, como se esperaria, mas me seguiu até a cozinha. Ali, imitando-me, pegou uma cesta e insistiu, inapropriadamente, em carregá-la no braço. Nas bancas da feira, apalpou as frutas, pesou a carne com as mãos e falou com conhecimento de causa sobre ervas — seu pai, segundo contou, havia sido professor numa cidade no interior da França. Agia como se sua origem fosse tão humilde quanto a minha. Decidi deixá-la com essa ilusão. Ela era filha única e o pai lhe ensinara tudo o que sabia; não foi o bastante.

"Pois sou vergonhosamente curiosa", confessou, "sobre tudo e todos. Você não concorda que a ciência seja, antes de mais nada, uma ardente indiscrição? Uma ânsia doentia por conhecer tudo, mesmo as coisas que não se pretendeu descobrir e que seria melhor, em prol da paz de espírito, jamais vir a saber? A maioria das pessoas valoriza a investigação dos princípios dos elementos naturais, mas essas mesmas pessoas a expulsariam de sua propriedade se você as submetesse a semelhante escrutínio."

Zélide adquirira seu título através do casamento com o conde de Montmorency, já então octogenário. Depois de enviuvar, pôde dispor de recursos para levar professores de toda a Europa a sua casa em Vincennes. Durante muitos anos, mandou chamar um número de pessoas cada vez maior, provenientes dos lugares mais distantes. Pois é assim a avidez por conhecimento: quanto mais generosamente alimentada, mais ela se torna uma fome.

"Não me passou despercebido", disse-me quando já havíamos nos tornado mais próximas, "que você demonstra interesse pelas conversas que as outras mulheres e eu temos na casa dos Morandi. Mas você nunca participa."

"E como poderia? Não é para servir opiniões que guardo meu posto atrás do biombo. Da maioria do que é dito, aliás, compreendo somente uma pequena parte."

"Então deveria pedir explicações. Se outras do grupo fossem capazes de admitir alguma incompreensão, nossas trocas seriam muito mais férteis!"

"Respeito tanto esse conhecimento, que me falta coragem."

"Ah, se ao menos algumas de nós seguissem esse exemplo! Falar sobre o que não se compreende é tolo; a inteligência está em perguntar. A ciência não pode absolutamente existir sem uma honesta confissão de ignorância. Só é possível aprender o que não se sabe."

"E como eu sei muito menos do que a senhora" — ri —, "isso me torna, suponho, a mais erudita."

"Amanhã de manhã parto de Bolonha", disse Zélide tão logo chegamos em casa com as cestas carregadas. "Viajarei para Nápoles, onde iniciaram uma escavação. Algumas vilas romanas antigas, localizadas ao pé do Vesúvio, vieram à luz perfeitamente intactas. Essa é a essência da nossa época. As cinzas que nos sufocavam foram finalmente sopradas para longe. Tudo vem à superfície. O que ainda se encontra na escuridão será iluminado. Nada restará inexplicado. Esse é o desafio que o século nos apresenta. Os descobridores formam a vanguarda. Nosso dever é estar ao lado deles. Estarei lá, e você... Queria convidá-la a me acompanhar."

"Por quê? Que utilidade eu teria? Acaso não existem criadas napolitanas?"

"Como minha secretária, Galathée." Enrubescida, ela procurava as palavras. Entre aquelas mulheres bem-nascidas, instruídas e ricas, ela agia com grande desenvoltura, e me pareceu divertido que fosse justamente eu a desorientá-la.

"Se a senhora quer me tomar sob sua proteção por caridade...", disse-lhe com cautela. Não conseguindo distinguir a origem de sua estima por mim, mostrei-me defensiva: "... ou se imaginou dar continuidade à minha educação, devo recusar a oferta, senhora".

"Querida menina, o alvo da minha atividade caritativa sou eu mesma, você em breve perceberá. Sua caligrafia é razoável?", perguntou. "Nesse caso, você poderia escrever as minhas cartas, um relato diário dos meus achados, a descrição do que encontrarmos no caminho. Eu lhe confiaria ainda alguns pequenos — mas indispensáveis — assuntos pessoais, nada muito diferente do serviço de uma grande casa. Na verdade, isso e mais." Fixando-me, ela se tornou menos oficial. "Muito me agradaria se pudéssemos nos tornar amigas. E quem disse que você aprenderia mais comigo do que eu com você?"

4.

Por que razão as pessoas se emocionam com a visão de ruínas, eis aí algo que eu gostaria que me explicassem, mesmo no além! O que há de tão atraente numa construção destruída, num monte de entulho? Zélide descia da carruagem a cada monte de pedregulhos que encontrávamos rumo ao sul. Primeiro ela os rodeava, depois ia se sentar ali defronte e podia então meditar durante horas sobre ele. Enquanto isso, eu devia medir os escombros, fazer um pequeno esboço de cada um deles e marcar no mapa a localização precisa onde os havíamos encontrado. De volta à carruagem, ela se punha filosofar a respeito do esplendor, da função e do significado das construções que acabávamos de ver.

"Que construções?", eu resmungava às vezes. "Não vi construção nenhuma, só cascalhos." Isso parecia diverti-la e incitá-la a aprofundar suas análises da arquitetura antiga, as quais podiam prosseguir até nos depararmos com mais uma pilha de tijolos. Nesse ritmo, portanto, não avançávamos mais de dez ou quinze quilômetros por dia, e à noite, no albergue, meus deveres ainda se alongavam, cabendo-me recordar seus lampejos teóricos e registrá-los ordenadamente por escrito.

Em algum lugar nas proximidades de Pitigliano, um bloco de cimento a fez parar para calcular a envergadura de uma imensa e hipotética cúpula e os contrafortes necessários para sustentá-la — sem que tivéssemos comido nada o dia inteiro e ainda faltando um bom trecho até chegarmos à vila mais próxima.

"Não há nenhuma cúpula!", insisti ríspida, pois tinha fome.

"Mas *pode* ter havido."

"E *aquilo* ali pode ter sido uma deliciosa coxa de frango", eu disse, apontando os excrementos que algum pastor depositara entre os blocos de pedra, "mas prefiro ver o original."

"Eu não." Ela riu, e comecei a suspeitar por que as sábias senhoras de Bolonha sempre a mantinham um tanto isolada. "Se vejo uma coxa de frango, não posso transformá-la em nada mais. Porém, com a visão dos vestígios, estou livre para fantasiar. Ainda que o homem que se aliviou aqui nunca tenha comido nada além de um pedaço de pão seco, em meus pensamentos eu o gratifico com um banquete. O desafio não está em ver o que existe, mas em ver o que poderia ter existido."

Enfim, alcançamos Portici, onde nos instalamos para passar o outono numa habitação simples, localizada na baía de Nápoles. A casa havia sido posta à nossa disposição por Maria Amália da Saxônia. Tratava-se de uma prima distante do falecido marido de Zélide que havia pouco se tornara esposa do rei das Duas Sicílias. Maria Amália descobrira um poço de água durante uma de suas caminhadas nas cercanias da casa que o marido mandara erguer para o casamento; os habitantes das cidades vizinhas desciam ao fundo regularmente, com o auxílio de cordas, para tentar encontrar e resgatar moedas e broches antigos. Por insistência de Maria Amália, o rei contratara um antiquário para investigá-lo, e assim foi que no fundo do poço descobriram-se alguns degraus de mármore e um conjunto de corredores subterrâneos, os quais foram escavados e deixados à mostra. Constatou-se, por fim, tratar-se dos degraus superiores de um anfiteatro romano que permanecera inteiramente soterrado.

Na época em que o visitamos, três terços já haviam sido escavados, juntamente com os prédios anexos, a sessenta pés de profundidade. Zélide mandou fazer saias especiais de um algodão fino, de modo que pudéssemos prendê-las como se fossem calças ao descer e subir as sete escadinhas longas e estreitas que davam acesso aos subterrâneos. Uma vez ali embaixo, fomos guiadas por Marcello Venuti, que comandava a operação junto com seus irmãos e, orgulhoso, mostrou-nos os progressos que faziam. Com uma esponja embebida em água, ele umedeceu uma parede do anfiteatro e fez reaparecer instantaneamente uma inscrição em mármore, perfeita como no dia em que fora gravada: a epígrafe declarava que a cidade sob os nossos pés era consagrada ao deus Hércules. Estava ali a prova, disse Venuti, de que nos encontrávamos numa daquelas cidades que, diziam as lendas, havia sido atingida por uma erupção do Vesúvio pouco depois da morte de Cristo e, soterrada sob camadas e camadas de cinza, fora dada como perdida por dezesseis séculos.

Zélide parecia mais emocionada do que o habitual, especialmente quando caminhamos ao redor do anfiteatro por uma antiqüíssima rua que pouco diferia das que estávamos acostumadas a ver em todo lugar, sem necessidade de excursionar às profundezas da terra e correr o risco de quebrar o pescoço. Os irmãos Venuti nos indicavam lojinhas e pequenos restaurantes onde se viam cerâmicas originais exatamente na posição em que haviam sido encontradas. Jarras e copos dispunham-se sobre o balcão tais como numa pensão atual, como se os clientes acabassem de deixar o lugar. A imagem causou uma impressão vívida a Zélide. Fomos conduzidas então à basílica vizinha, detectável apenas por suas portas de bronze recém-expostas. Ali, trouxeram-nos água e nos deixaram a sós por algum tempo, para meditar sobre a súbita extinção de um mundo.

À medida que meus olhos se acostumavam à escuridão, o esplendor que nos circundava foi se tornando mais e mais visível. Surgiram primeiro duas estátuas eqüestres, iluminadas pela luz difusa que provinha de uma pequena abertura em forma de estrela na abóbada, ainda completamente sob a terra. Descobri em seguida os padrões intrincados do piso de mármore, mescla de várias cores, depois o brilho das figuras no mosaico das paredes e, no centro da imensa nave, uma enorme bacia de pórfiro, da altura de um homem, com água e profundidades suficientes para banhos. A terra parecia uma estufa. O ar pesava sob os arcos. Nossas vestes de algodão colavam no corpo. Umedeci o rosto e os ombros, molhei os pulsos e os tornozelos, borrifei o líquido refrescante no cabelo. Repeti a operação com minha patroa, que, ao toque da água fria, despertou de seus devaneios. Desabotoando a blusa, ela pôde se debruçar sobre a banheira e lavar o colo e o torso, e, por um instante, o raio de luz fez seus cabelos refletirem como que em chamas na água.

"Você vê agora, Galathée", suspirou, "como tudo já está presente? Perfeitamente pronto e acabado. Tudo existe mesmo se não estejamos a par. A realidade não depende da nossa observação." Ela se espreguiçou e ficou parada um instante com os braços estendidos, para que a corrente de ar que percorria a sala subterrânea pudesse brincar em volta do seu corpo úmido. "Assim como a terra esconde em si todos esses segredos, também nós já trazemos todas as respostas, mesmo para perguntas que não sabíamos que iríamos formular."

Eufórica como uma menina, correu de repente na minha direção e segurou minhas mãos. "Sim, hoje estou convencida, querida criança! Nossa mente busca furiosamente novos conhecimentos e negligencia o antigo. O que faz a razão com o conceito inato de que, às vezes, sabemos certas coisas mas sem dispor da mínima evidência? Nada! Minhas amigas eruditas ririam de mim se me ouvissem... Elas não acreditam em nada que não se possa provar, em nada que lhes chegue pelos olhos ou pelos ouvidos. Mas eu lhe digo: e onde fica então tudo aquilo cuja existência sentimos sem poder demonstrar?"

Desprendi-me dela para fazer anotações, pois já começava a perder o fio da meada e sabia que, depois do jantar, caberia a mim elevar esses blocos de pensamentos desconexos à condição de algo inteligível; mais tarde, certamente teria dificuldade em me lembrar do jorro exuberante com que Zélide insistia em me contagiar.

"A razão é apenas a face externa da nossa consciência. Sob ela, está a emoção. Ali dentro da concha, no nosso coração, onde ninguém pode nos ver e nos tachar de loucos, temos coragem de confiar infalivelmente no que sentimos. Ali dentro, sabemos tudo sem palavras. Se não tivéssemos de atuar aqui fora, no mundo, não duvidaríamos um segundo da nossa intuição. Mas nós saímos da concha, e, nessa hora, obedientes à vaidade, tentamos tornar a nossa face interior tão apresentável quanto as nossas roupas. Penteamos os pensamentos e os enfeitamos da maneira mais asseada e agradável possível. Você não se lembra de perceber instintivamente, na infância, como eram as pessoas? De saber quem era uma boa alma, com quem você se daria bem, e quem representava perigo? De pressentir o que devia fazer para receber alimento? Para sobreviver e ser amada? Boa parte do conhecimento que buscamos — a resposta às nossas grandes perguntas — já está presente em nós desde o nascimento, creio. Apenas esquecemos o que fazer para extraí-lo da nossa alma. Pior: esquecemos que a maioria das respostas está ali. Permanecemos esquecidos de tudo isso, exatamente como durante séculos as pessoas caminharam sobre esta cidade sem suspeitar que ela esteve sempre aqui, logo abaixo dos nossos pés. A intuição nunca é tão forte quanto no nascimento — é nessa hora que mais necessitamos dela, pois não contamos com outros meios para sobreviver — e vai se enfraquecendo à medida que aprendemos a pensar em vez de sentir. O saber instintivo, entretanto, jamais desaparece por completo. Está apenas soterrado sob a avalanche de argumentos e ponderações de que necessitamos para supostamente tornar inteligível o mundo. Uma vez ou outra, num sonho singular, num momento de distração, inesperadamente o reencontramos. A esse reencontro, um artista poderia dar o nome de inspiração; para os que têm fé, é revelação. Mas e nós, que tentamos pensar racionalmente? Talvez o chamemos apenas de 'idéia repentina', momento iluminado em que surge a resposta para perguntas ainda nem sequer formuladas. Essas percepções imprevistas nos surpreendem. Quanto mais orgulhosos de ter aprendido a pensar como indivíduos, mais nos orgulhamos de poder ignorar que, um dia, talvez tenhamos sido parte de um todo maior. E nem falo daqueles momentos que todos já experimentamos, quando pensamos numa pessoa imediatamente antes de a encontrar por acaso ou quando temos a súbita visão de um ente querido que, descobriremos mais tarde, naquele mesmo instante, longe dali, exala o último suspiro. Essas percepções são como estilhaços sob os nossos pés. O mais óbvio, em tais circunstâncias, seria escavar dentro de nós, mas essa é a única coisa que não fazemos, pois não podemos agarrá-los sem o intelecto — e agora temos medo de tudo o que não conseguimos explicar racionalmente. Em vez disso, então, recolhemos os nossos cacos e os colocamos no bolso, na esperança de que um dia, por acaso, por coincidência, encontremos algum outro pedaço que se encaixe com eles. Eu lhe digo, Galathée, o nobre impulso científico arrasta um biombo sobre o nosso conhecimento original: nossa intuição. Ele vai sendo soterrado cada vez mais fundo sob as camadas de fatos que acumulamos, e nós assim envelhecemos, até que mal percebemos o que um dia já foi tão claro."

Os irmãos Venuti sem dúvida captaram algo além de um vislumbre quando voltaram antes que Zélide e eu pudéssemos nos arrumar decentemente. Sem se anunciar, apareceram na abertura entre as portas de bronze, banhada de sol, e só nos restou a esperança de que seus olhos ainda estivessem se acostumando à escuridão enquanto nós duas, com as mãos trêmulas, terminávamos de ajeitar nossas roupas e de arrumar o cabelo. Marcello tinha a palidez de um acadêmico que gastara tempo demais debaixo da terra, mas Ridolfino e Filippo estavam ambos na plenitude da vida. Queimados de sol, suados de tanto escavar, haviam enrolado as mangas da camisa e as calças. A lama lhes chegava até as coxas e grudava seus cabelos contra a pele, como nos animais. Insolentes, voltaram o olhar direto para as partes do meu vestido que, ainda úmidas, revelavam mais do meu corpo do que se consideraria minimamente decente.

Apesar desse comportamento indecoroso, não hesitei quando naquela mesma noite, apresentando-se limpos e banhados, eles nos convidaram a celebrar San Gennaro. Excitados, num contentamento festivo, eles nos puxaram pela mão até o terraço, de onde se via a cidade brilhar sob os fogos de artifício que estouravam do outro lado da baía, desde Castel dell'Ovo até Posilipo. Mas Zélide não queria sair.

"Ótimo, então", provoquei, "terei atenção em dobro dos rapazes!" Minha senhora, entretanto, manteve um silêncio tão melancólico que me senti constrangida pelo que havia dito. Dispus-me a declinar do convite para nos dedicarmos à troca de idéias e à transcrição de reflexões, como todas as noites, mas ela não quis ouvir. Talvez com uma pontinha de culpa por cercear a alegria da juventude, insistiu em que eu me divertisse, prometendo que uma vez ao menos ela mesma iria ordenar seus pensamentos do dia.

Nenhum povo sabe festejar como os napolitanos. Voltei para casa somente na manhã seguinte, embriagada com o meu sucesso. Nem Ridolfino nem Filippo fizeram caso da minha deformidade, talvez porque seu trabalho os acostumara à beleza arruinada. Os irmãos, além disso, não tinham nenhuma vergonha um do outro, e, assim, experimentei em seus braços uma paixão que teria assustado outra moça da minha idade. Na verdade, desde o meu confinamento, nenhum homem, a não ser o velho conde, havia me olhado com desejo, e antes eu só conhecera o toque suave do meu Giacomo, cuidadoso em excesso como fora. Naquela festa de San Gennaro, entreguei-me sem reservas aos meus impulsos, exercitando-me em movimentos que teria considerado impossíveis a uma mulher e que não vira nem mesmo nas ilustrações do *Dom Bougre*. O prazer que experimentei não provinha tanto do corpo, mas da alma — nela as sensações eram muito mais intensas. Foi como se minha alma — não sei dizer de outra maneira — se elevasse através do meu despudor e, libertando-se do corpo, observasse de uma grande altura as torções a que o prazer me impelia lá embaixo. Antes de tudo, o que me movia era a emoção profunda de me sentir desejada tão esfomeadamente. Naquele momento mesmo, já sabia que possivelmente seria a única e última vez em que despertaria as paixões de dois rapazes tão atraentes, e satisfazer a ambos me fez viver um contentamento enorme, uma exaltada paz de espírito. Esqueci-me do meu defeito. Deixei de pensar. Apenas senti. Sim, enquanto me penetravam, eu me senti confiante. Quando nossas brincadeiras terminaram, não quis que o êxtase se extinguisse e ainda o alimentei, apenas olhando o abandono e a gratidão infantil estampados no rosto dos dois irmãos, que se recobravam da exaustão com a cabeça apoiada no meu ventre.

Quando voltei, atordoada pelo álcool, Zélide previsivelmente dormia, mas o candeeiro que deixara para mim ainda ardia na escrivaninha. Ao lado dele, via o ensaio que ela escrevera enquanto eu saíra para dançar. Envaidecida e segura como me sentia, imaginei que tivesse deixado o documento ali exposto com o propósito deliberado de censurar meu ócio. Na minha embriaguez, irritava-me que se ressentisse da minha felicidade; eu teria sido capaz de acordá-la e dizer-lhe aos gritos que ela obviamente estava velha e seca demais para se lembrar de como as pessoas de carne e osso amavam.

Felizmente a curiosidade superava a irritação, e me pus a folhear algumas páginas. Para minha surpresa, elas não continham observações sobre o lugar que havíamos visitado na véspera. Estavam, isso sim, repletas de ecos da nossa conversa na basílica. Zélide elaborara a idéia da perda do conhecimento intuitivo durante o processo de desenvolvimento da razão. Tratava-se de uma longa meditação, escrita num tom e com uma força que evidenciaram a banalidade e a abjeção do meu estado de saciedade concuspiscente. Reconheci, em cada palavra, seu espírito sensível e sua recusa em sucumbir ao inflexível regime do raciocínio. Falava diretamente do coração, sem tentar provar nada pela lógica, sem se referir a nenhum saber, salvo a própria experiência. Era um dos seus trabalhos mais inspirados. Mais tarde, depois de ligeiras alterações na forma, viria a ser publicado em Nancy, sob o pseudônimo M. de M., reunido a outras duas dissertações sobre o mesmo tema com o título *De l'origine du savoir*. Possuo ainda um exemplar. Um outro foi acrescentado à coleção da Bibliothèque du Roi, por recomendação de monsieur Bignon, da Académie, e, até onde sei, ainda pode ser consultado ali, na seção de filosofia moderna.

Li todo o ensaio de um só fôlego naquela mesma noite. O sol raiou, os pássaros despertaram. Uma brisa do mar apagou o candeeiro e trouxe consigo o perfume dos limões maduros no jardim. Meu corpo e minha alma estavam tão exaustos, que não podiam oferecer nenhuma resistência a idéias contra as quais eu teria lutado em outras circunstâncias. Em meu enlevo, não fazia distinção entre o deleite sensorial que ainda reverberava em mim e a paixão contida nas palavras de Zélide, mesmo se naquele momento minha mente saturada mal apreendesse a maioria delas.

Não fui me deitar. Depois de terminar a leitura, permaneci um bom tempo na sala, junto da escrivaninha. Sentia-me vazia. Ainda que a salvação da minha alma dependesse disso, não conseguiria mover o corpo, e o raciocínio, menos ainda. Fiquei sentada ali, sem pensamentos e sem vontades, fitando as ondas e as ilhas distantes. Zélide entrou e veio se sentar ao meu lado, sem dizer uma palavra sobre o ensaio diante de mim. Apenas pôs as mãos nos meus ombros. Comecei a chorar — era a primeira vez desde que o destino me apanhara. Durante um ano e meio eu não me permitira uma única lágrima. Agora, chorava longa e profundamente. E Zélide e eu ficamos ali, sem dizer uma palavra, apenas olhando o mar.

Zélide conclui o tratado *Sobre a origem do conhecimento* comparando nosso conhecimento inato, mas não descoberto, à cidade soterrada ao pé do Vesúvio, de cuja existência não suspeitamos até que um dia, por casualidade, deparamo-nos com uma rua antiga e nos vemos então caminhando sobre pedras da Antigüidade. Se um deles existe, imutável e despercebido durante séculos, então o outro também é possível. Nesse ponto, quando a argumentação parece encerrada, ela ainda a faz avançar de maneira surpreendente. Compara os dois conhecimentos ao amor, que também não admite prova racional e, não obstante, invariavelmente — às vezes muito depois de ter sido esquecido ou perdido —, reemerge como presença irrefutável, incontroversa: "*Cada um de nós, afinal, julga-se capaz de amar, não duvidando jamais dessa capacidade, ainda que a prova dela nos escape até o dia em que encontramos alguém que seja digno dessa dádiva*".

"Agora basta", disse Zélide por fim, secando o meu rosto. Mandou que trouxessem café turco e servissem um desjejum substancioso que eu mal consegui olhar; o próprio cheiro de pão assado já revirava a bílis na minha garganta. "Vi o suficiente de Nápoles e vou voltar para Paris. Se você não tiver outros planos, pode continuar a meu serviço."

Tanto quanto eu sabia, não tinha planos, em absoluto, salvo a firme resolução de nunca mais beber uma gota sequer de vinho. Prometi a Zélide que ficaria a seu lado, embora naquele exato momento imaginasse haver tanto veneno em minhas veias, que poderia ser aquele o meu último dia. Ela foi ao jardim colher uma laranja e a descascou para mim, mesmo depois de eu dizer categoricamente que não suportaria um único gomo.

"Não consigo pensar em nada que me deixasse mais feliz", sussurrou encabulada, "do que ter certeza da sua amizade" — e, em seguida, arriscou-se a perdê-la, pois tentou me forçar a comer a fruta. Ordenou então que os criados fechassem as persianas, ajeitassem os travesseiros e me recostassem no divã para descansar. Comprimiu um pano úmido sobre minha testa, e eu aos poucos senti que as marteladas ali dentro amorteciam.

"Então está combinado", disse Zélide, justamente quando imaginei recobrar uma nova chance na vida. "Você e eu partiremos juntas para Paris. Darei ordens para que um dos quartos voltados para o jardim seja decorado para você. Móveis novos, tecidos novos. Haverá tempo suficiente para que tudo fique pronto, pois no caminho passaremos algumas semanas em Veneza."

Levantei-me com cuidado. Com as mãos, tentei abafar os ecos da explosão que ocorria em meu cérebro.

"Veneza?"

"Sim", ela respondeu radiante. "Seis semanas, no máximo. Ou você gostaria de ficar mais tempo?"

5.

Um cachorro morto flutuava entre as algas, a barriga inchada de gases. Para atracar, o gondoleiro empurrou o animal com o remo. A pele se rasgou e dois pedaços ficaram agarrados ao cais. Ao desembarcarmos, o movimento das águas os atirava contra as pedras sob os nossos pés.

Quando conheci Giacomo e tentei imaginar como seria viver com ele em Veneza, logo percebi que não tinha uma idéia precisa da cidade. Na infância, captando pedaços de conversas entre a condessa e seus convidados venezianos, ela surgia como um lugar de mistério, um grande salão de baile ao ar livre, repleto de damas, ladrões e doges, cantores e atrizes, um parque de diversões que estaria à minha espera até que eu tivesse idade suficiente para entrar. Ao ouvir aquele nome, talvez imaginasse mil cores, uma explosão de cores mescladas; via, definitivamente, pessoas que dançavam, o brilho da luz do sol e luzes sobre a água, imensos palácios recobertos de muito ouro. Mas eu nunca tinha visto um pallazo veneziano e por isso imaginava casas como a nossa em Pasiano, apenas com escadarias e patamares à beira da água, todas alinhadas e separadas por lindos parques. A partir dos detalhes das histórias de Giacomo, que eu ouvira de olhos fechados deitada em seu colo, havia criado um mundo próprio, com praças e canais por onde passeávamos de braços dados. As fachadas, aos olhos da minha imaginação, talvez guardassem pouca semelhança com as das casas reais, mas tinham pórticos e pátios internos que me pareciam familiares e seguros porque ali o meu amado havia brincado na infância e ali ele se sentia em casa.

Essa associação mudou no momento em que eu soube que nunca seria dele. E, portanto, que aquela nunca seria a minha cidade. Não voltei a dedicar um pensamento sequer a San Marco ou ao Grand Canal. Aceitara a idéia de que nunca visitaria a lagoa. Se em algum momento, contra a minha vontade, os lugares descritos por Giacomo voltavam a invadir minha mente, eu os empurrava para longe. Com firmeza. E, nesse movimento, a escuridão tomou o lugar da luz. Mas afastar um pensamento não basta para que deixemos de carregar sua imagem. Ela apenas pára de irradiar seu brilho para se tornar pálida, embaçada. Antes, o sol penetrava através dos vitrais; depois, ofuscou-se; onde, por um instante, tudo explodia em cores, agora há linhas de chumbo grosseiramente soldadas e excremento de pombo agarrado a pedaços de vidro.

Comparada ao meu sonho perdido, a Veneza que descobri com Zélide foi rebaixada a uma condição deplorável: o lodo sob as pontes, a sujeira acumulada nas vielas, o cheiro de suor de corpos amontoados, os ratos no lixo, o fedor do mercado de peixes pairando sobre o Rialto, pássaros mortos nos degraus, o pescoço torcido pelos vendedores de milho. Em toda parte ouviam-se gritos e xingamentos, pois as ruas estavam sempre abarrotadas. Nos *sottoporteghi*, a multidão se acumulava. Forçava-se a passagem à custa de cotoveladas. Mendigos disputavam espaço na frente das igrejas e empurravam seus cotos supurados em ameaça aos transeuntes.

Zélide suspirou. "É encantador ver como as pessoas aqui se mantêm as mesmas, sem concessões aos confortos modernos! Aqui pelo menos elas ainda sabem o valor da própria existência, pois têm de lutar até para respirar um pouco de ar fresco. Imagine isso nas Tulherias!"

Ela seria capaz de passar a noite num albergue, misturada aos curtidores de pele, apenas para satisfazer sua curiosidade sobre a vida ordinária. Graças a Deus, já havia alugado um andar no palazzo Cini. Bastou entrarmos ali e a cidade imunda pareceu se dissolver. As grossas paredes abafavam a gritaria, cortinas de drapeado pesado mantinham a fumaça e o fedor do lado de fora, e todos os quartos eram equipados de um engenhoso sistema de ventilação que, com um único puxão numa corda, fazia soprar uma refrescante brisa marítima. Foi ali que me entrincherei.

Uma vez por dia atravessávamos o canal em direção à Piazzetta para visitar a biblioteca. Às vezes, íamos de barco a San Lazzaro, para ver as miniaturas indianas e os manuscritos egípcios preservados ali pelos monges armênios. Eu também acompanhava Zélide em excursões curtas, com propósitos definidos, mas somente a lugares onde supunha que não encontraria Giacomo. Ia, por exemplo, à costureira ou à casa de banhos para mulheres. Este era um lugar onde encontrava um pouco de paz. Zélide havia escolhido um estabelecimento em Cannaregio, não muito longe do Gueto e freqüentado sobretudo por mulheres comuns da própria vizinhança. Às vezes seguíamos para lá numa gôndola fechada e nos escondíamos por uma ou duas horas no vapor quente, enquanto um velho massagista otomano nos impregnava de óleos. Eram tardes preciosas. Lado a lado, permanecíamos em silêncio, livres de pensamentos.

Em geral jantávamos em casa, mas, se recebíamos algum

convite ou se Zélide queria ir ao *ridotto* em busca de diversão, eu inventava alguma desculpa para não acompanhá-la. Quando ela recebia convidados no apartamento, eu me fingia de doente, permanecendo na cama. Lá fora, detrás das janelas do meu quarto, altas e estreitas como as de uma capela, a cidade se estendia numa névoa azul ou resplandecia sob o sol forte, tremulante — mas, de todo modo, sempre longe o bastante para que eu me iludisse e acreditasse que não passava de uma miragem. Veneza era um fantasma que, nascido de um sonho febril, logo iria embora.

Mas não foi. Ficou ali, provocador, à espreita. Se eu ouvia risos na água, era como se zombassem da minha covardia. Pior ainda: quando ouvia uma voz como a dele — e tive certeza, dezenas de vezes por dia, de que essa hora havia chegado —, precisava me controlar para não correr até a janela. Cravava as unhas na carne até sangrar, na esperança de esquecer a dor da minha alma. Inútil. Quanto mais eu tentava bloqueá-la, mais nítida se tornava a convicção de que em algum lugar, entre praças e mercados, entre cascas e restos, eu continuaria a descobrir reminiscências da minha felicidade.

Justo quando pensei que perderia a razão para sempre se não partíssemos imediatamente, veio a salvação. Iniciava-se a temporada de teatro. Não tive noção exata da solução até o momento em que Zélide chegou eufórica, com o comprovante do aluguel de um camarote no Teatro Chrisostomo e fantasias para a abertura de gala. Recusei, evidentemente: era o tipo de evento em que sem dúvida Giacomo estaria presente, ocasião propícia como poucas para encontrar pessoas cruciais à carreira que ele planejara. Somente depois de Zélide vestir sua fantasia, com o chapéu de três pontas e uma máscara, me dei conta de que desde outubro até meados de dezembro — quando os teatros ficavam abertos — era perfeitamente normal circular fantasiado por Veneza; nesse período, os venezianos tinham o hábito de usar máscaras em suas atividades cotidianas. Incógnita, eu poderia ver Giacomo de perto uma última vez, assegurar-me de que estava feliz, talvez até saber com quem, e confirmar se o futuro que ele tanto almejava começara a se solidificar.

Zélide, que não tinha a mais vaga idéia dos fantasmas que haviam me perseguido nas semanas anteriores, ficou feliz como uma criança ao me ver cheia de vida novamente. Ajudou-me a vestir a fantasia que mandara fazer para mim, amarrou fitilho por fitilho e apertou fortemente os meus seios para torná-los rosados, tal como eu fazia quando a ajudava a se arrumar para sair. Ela escolhera para mim uma *moretta*, uma máscara de couro preto que se mantinha no lugar por meio de um botão entre os dentes. A mim, pareceu-me arriscado demais. Nervosa, temia deixá-la cair e, assim, denunciar minha identidade. Zélide felizmente se dispôs a uma troca, e o resultado foi que acabei usando a máscara mais bonita. Era de veludo branco, cravejada de pequenos diamantes ao redor da abertura dos olhos. O importante era que o rosto estivesse bem coberto e que a máscara fosse presa com grampos no cabelo, de maneira a não se soltar nem mesmo durante a mais selvagem das danças.

Não despreguei os olhos da multidão na platéia e nos corredores. Na verdade, ninguém prestava atenção ao que acontecia no palco, um *divertissement* sobre Marco Polo, o herói da República, nascido exatamente onde aquele teatro viera a ser construído. Estavam todos ocupados demais em garantir sua posição na nova temporada e, se possível, melhorá-la. A condessa de Montereale não exagerara em sua descrição de noites como aquela. A abertura da temporada era o momento ideal para cada um ajudar a própria sorte, e todos se empenhavam em superar uns aos outros. O intervalo era ocasião especialmente preciosa para conquistar o interesse dos poderosos e garantir acesso às próximas *soirées*. Para tanto, era preciso destacar-se nos quesitos beleza, riqueza ou sagacidade; caso essas virtudes falhassem, funcionava, igualmente, estar de posse de alguma informação rumorosa, própria para ser posta em circulação como boato maldoso. Inversamente, um único passo em falso, um simples tropeço, um mero lapso de linguagem poria a perder todos os favores conquistados em anos anteriores. É esse o motivo por que os venezianos usam máscaras. Não se trata de espírito lúdico ou festivo, como pensam os estrangeiros; a verdade não poderia ser mais terrivelmente séria: para todos, à exceção do doge, mascarar-se é a única maneira de escapar ao controle sufocante e de manter para si a escolha de quando e para quem se revelar. Com freqüência, é questão de vida ou morte — e eu não exagero. Um homem que caia em desgraça publicamente no Rialto perde tudo; pode não lhe restar senão o suicídio ou o exílio. Apenas negando vigorosamente a própria identidade e contradizendo as suspeitas a respeito de quem estaria atrás da máscara, afirmando-as errôneas, apenas assim consegue-se dissipar o escândalo e evitar o pior. Na maioria das vezes, isso não salva a reputação, mas ao menos salva a vida.

Tranqüilizei-me em poder testemunhar com meus próprios olhos até que ponto Veneza se submetia ao império das aparências. Isso significava que desistir de Giacomo havia sido realmente a decisão correta: nosso casamento o teria arruinado. No instante em que minha deformidade viesse à tona, ele não conseguiria manter sua posição nem por um só dia. Agora, portanto, minha curiosidade a respeito de seu sucesso só fazia aumentar. Quanto maior o seu êxito, mais justificado se revelaria o meu sacrifício. E se meu arrependimento fosse menor, quem sabe minha tristeza, atiçada pela cidade, também não diminuísse.

Naquela noite, não vi sinal dele. Enchendo-me de coragem, comecei a perguntar sobre o jovem *abate* Casanova. O nome parecia não dizer nada à maioria. Apenas três pessoas o conheciam. Uma delas disse que Giacomo servira por algum tempo como soldado no Fort Sant'Andrea, um outro me disse que ele tinha ido tentar a sorte em Roma e, a crer no terceiro, estava ou em Corfu ou nas mãos do mufti de Constantinopla, o papa turco. Como nenhum deles parecia ter certeza do que dizia, tentei não me preocupar.

Foi então que vi Adriana! Estava acompanhada do marido e de alguns amigos. Já havia corrido em sua direção e me postara diante dela, sem ar, quando me dei conta, graças ao seu olhar surpreso, de que ela jamais me reconheceria. Atordoada, percebi num átimo que, se revelasse minha identidade e se Adriana ainda estivesse em contato com Giacomo, como era minha esperança, certamente lhe falaria sobre a minha presença. Assim, permaneci anônima, trocamos algumas cortesias e perguntei, simulando indiferença, sobre o jovem abade que ela convidara a seu casamento. Quando ouviu o nome, não pôde evitar um risinho, como se eu não fosse a primeira a perguntar por ele. Não, ela não o encontrara recentemente, mas me deu o endereço do irmão, Francesco, a quem conhecia bem, pois ele estava estudando arquitetura teatral, ganhava a vida como artista e havia pintado alguns murais com cenas de batalhas marítimas para ela. Despedi-me sem mais demora, sempre em tom de alegre casualidade, ainda que naquele momento tivesse dado com prazer um ano da minha vida em troca de conversar com ela sobre monsieur de Pompignac, de recordarmos os verões em Pasiano, sua querida mãe e meus próprios pais.

No dia seguinte, armei-me de toda a coragem e por volta do meio-dia saí sozinha, mascarada, deixando Zélide atônita. Peguei o *traghetto* para a igreja de San Samuele, atrás da qual não tive dificuldade em encontrar a ampla casa onde Giacomo havia perdido o pai. Ele a descrevera tão vividamente, que tive a ilusão de que já a conhecia: o anjo esculpido acima da porta, a escadaria moura com degraus altos demais, no topo a cabeça de leão talhada em mármore, já desgastada porque todos lhe acariciavam a juba. Encontrei Francesco em seu ateliê no *piano nobile*. Uma das paredes se recobria de uma enorme tela, na qual fora representada a batalha de Lepanto. Maquetes de cenários espalhavam-se por todo canto, assim como inúmeros modelos em escala das mais engenhosas escadarias e de escadas em espiral, executadas em nogueira e em pau-santo, algumas do tamanho de um polegar, outras da altura de um homem. Em meio a tudo isso, lá estava Francesco, ocupado em fazer um esboço. Apresentei-me como uma possível cliente que vinha examinar seu trabalho. Exatamente como havia ensaiado, fiz perguntas sobre preços e sobre idéias para uma pintura de teto. Achei que soava bastante convincente, mas ele percebeu tudo:

"É sobre o meu irmão, não é, signorina?"

"Por que a pergunta?"

"Bem, Tintoretto recebia pessoas em seu ateliê... No *meu* caso, quando alguém quer fazer uma encomenda, manda me chamar em casa e, se eu não estiver lá dentro de uma hora, chamam outro. As únicas pessoas que se dão ao trabalho de vir até aqui são os usurários a quem devo dinheiro, velhos infames, e jovens e belas senhoras em busca de Giacomo. Você deu azar. Ele não está na cidade."

"O que diz soa como uma resposta que o senhor dá a todas as jovens senhoras."

Ele riu.

"Mas desta vez é verdade."

Francesco franziu os olhos, como se tivesse de desenhar meu

retrato, e me fixou de um modo tão severo que, sem refletir, precisei conferir se minha máscara não escorregara.

"Perdoe-me, signorina, mas estou em desvantagem. Nós nos conhecemos de algum lugar?", perguntou.

"Creio que não."

"Há alguma coisa familiar em sua aparência..."

Sentei-me. Depois de me trazer algo para beber, Francesco abriu uma carta sobre a mesa, com evidente orgulho, e em seguida continuou em seu esboço, para me dar a oportunidade de ler com tranqüilidade. Era a letra de Giacomo. A carta, endereçada ao irmão, fora enviada da Turquia recentemente. Com um tom que rapazes usam entre si, diferia muito do que eu conhecera dele, mas sem ser exatamente desagradável; narrava como havia enganado um dragomano com um truque de mágica, como aprendera a fumar narguilé com tabaco de *zamanda* e como estava proibido de dar um passo sem a companhia de um janízaro; este o levara a um harém e, zombando de sua ignorância a respeito da moral das mulheres muçulmanas, ajudara-o a aperfeiçoar seus conhecimentos no assunto. Giacomo se divertia, dizendo que essas mulheres prefeririam exibir os membros a mostrar o rosto, que, segundo as leis, devia permanecer coberto.

"Ele tende a descrever as coisas de um modo mais bonito do que nós o faríamos", disse Francesco quando devolvi a carta sobre a mesa, sem ler tudo. "Não tem má intenção. Decidiu há pouco aproveitar a vida, e, se em determinado dia não vive nada que lhe pareça suficientemente extraordinário, inventa alguma coisa. Não se ofenda."

"Não, de modo algum", eu disse. "E por que o faria?"

Aparentemente, Francesco era solicitado com freqüência a dar informações sobre o bem-estar do irmão; não me agradava ser mais uma a fazê-lo, mas minha necessidade de saber falava mais alto. Sua carreira, assim entendi, não tomara impulso tão rapidamente quanto ele gostaria. Contudo, isso não excluía o fato de que ele, para alguém de origem humilde, conquistara em pouquíssimo tempo a confiança de pessoas influentes graças ao seu encanto e erudição, tanto na República como no Vaticano, de forma que ao retornar as perspectivas se mostravam favoráveis.

Quis perguntar: e o amor? Suas qualidades lhe trazem prosperidade equivalente nesse campo? Mas faltou-me coragem: já me denunciara quanto aos motivos de ter ido ali. O que fiz foi me levantar para ir embora.

"E, a respeito de amores...", disse Francesco. Deixando a frase incompleta, pôs sobre a mesa o desenho que acabara de fazer enquanto eu lia a carta de Giacomo. Virou o papel na minha direção.

"Muito habilidoso", comentei. "Quem é a pessoa representada?"

Meu vestido, meu cabelo, minha postura estavam representados com precisão. Apenas a máscara havia sido suprimida. No lugar dela, Francesco desenhara meu rosto tal como fora antigamente, liso, macio. Tal como ele se recordava da visita a Pasiano e como presumia que ainda fosse. Não movi um músculo e afastei o desenho, sem demonstrar o menor interesse.

"E os amores dele?"

"Existem."

"Fico contente."

"De todos os tipos e tamanhos."

"Vejam só", eu disse, virando-me para escapar de seu olhar, que permanecia fixado em mim. Eu estava de pé agora, observando a batalha naval, e me pus a estudá-la como conhecedora do assunto.

"Ele as conquista uma atrás da outra, mas às vezes também pode conquistar um par ao mesmo tempo."

As ondas eram vermelhas de sangue. A frota turca estava destruída. Um comandante se afogava entre os remos de uma das trirremes da Sereníssima. Seu turbante se soltara e flutuava como uma longa faixa dourada.

"Não está surpresa?", perguntou Francesco, com evidente malícia.

"Perdão?"

"Por que a senhora imagina que esse meu irmão tenha se tornado tão insaciável?"

"Eu? Realmente, não saberia dizer."

"Não?"

"Não. Mas já tomei muito do seu tempo, senhor. De todo modo, embora não me diga respeito, gostei de saber que seu irmão não sofre de falta de amor."

A enorme tela tremia no espaldar: eu estava tão próxima que uma pequena ondulação se espalhou ao longo da parede. Recompus-me e me despedi, mas Francesco continuou com o tom acusador.

"Nunca duram muito, esses caprichos. Uma noite, no máximo duas, e então o olhar de Giacomo já se põe em guarda para achar a próxima presa."

"Pelo que diz, é a vida que todo homem desejaria ter, mas ainda assim o senhor não parece aprovar."

"Não censuro meu irmão, ao contrário. Assim ele pelo menos se previne contra a decepção. Essa lição ele aprendeu."

Agora eu realmente queria ir embora dali. Francesco me acompanhou até a porta, trazendo nas mãos o desenho que havia feito de mim. Hesitou desajeitado, como se quisesse me dar o esboço, mas lhe faltou coragem. Apontou a figura com um gesto tímido:

"Então a senhora não a conhece?"

Fiz que não com a cabeça. Ouvindo isso, ele rasgou o retrato e atirou os pedaços no canal. Eles se separaram e ficaram flutuando na água.

"Por tudo o que me é mais sagrado, não conheço ninguém com essas feições."

O papel se tornou mais pesado. A tinta se dissolveu.

6.

Lentamente, tudo se dissolveu. Os contornos se tornaram vagos. A luz se mesclou à neblina, fazendo as coisas parecerem menos nítidas. De vez em quando eu vislumbrava um corpo nu, ouvia um suspiro distante ou o rumorejar longínquo da água. De resto, estava preparada para me sentir sozinha por longos períodos. O peso dos meus pensamentos ia se aliviando. À medida que a bruma se adensava, eles se desmanchavam como cubos de açúcar na água; não desapareciam, mas acabavam por se pôr em movimento, tornando-se menos duros e ásperos. Já pareciam menos pesados apenas por não estarem mais aglutinados e se deixarem levar, como se as angústias se distribuíssem por todo o meu corpo, em vez de me esmagar o estômago. Às vezes, uma rajada quente rompia a neblina e surgia então o vulto de Zélide. Sentada à minha frente, vez por outra ela soprava a névoa branca que pairava entre nós, para me mostrar que ela continuava ali e se certificar de que eu estava bem.

Ao voltar para o palazzo Cini depois de minha excursão — nervosa e recriminando a mim mesma pela infeliz curiosidade que me fizera descobrir com Francesco muito mais do que desejava —, encontrei Zélide junto à casa sobre a pequena ponte do campo San Vio. Parada ali, sozinha, ela parecia me esperar. Imediatamente retirou minha máscara, e um breve olhar foi suficiente. Sem nenhuma pergunta, compreendeu tudo. Sem saber exatamente o que havia acontecido, agiu com naturalidade, como uma mãe consola o filho que caiu, tomando todo o cuidado para não tocar a ferida, mas lamentando e sentindo a dor com ele, e, assim, distraindo sua atenção. Muito calma, mas sem tolerar ser contrariada, ela me pôs dentro de uma gôndola e me levou aos banhos em Cannaregio. Despiu-me, passou água em meu corpo, enrolou-me nas toalhas e me levou pela mão para a sauna a vapor. Encolhi-me no canto de um dos bancos de pedra, entrelaçando os braços sobre os joelhos recolhidos.

Assim permaneci.

"A vergonha é um dos nossos impulsos mais básicos", disse Zélide. "Eu a poria num degrau bem baixo na escada dos sentimentos civilizados, entre a vingança e o ciúme. É uma força destrutiva, alimentada pelo medo." Eu a ouvia de muito perto, mas não podia vê-la. "Carregamos em nós essa emoção perniciosa, como um fardo da natureza, mas é nossa obrigação combatê-lo. Devemos!"

Ali estava ela, seu rosto de repente muito próximo do meu.

"O que há para ver?" Aquele olhar — eu me senti desconfortável.

"Por que ter medo de ver o que *é*?..." Ela sussurrava. Olhei dentro de seus olhos. Creio que nunca havíamos estado tão próximas uma da outra. Duas gotículas que escorriam de sua testa deslizaram até ficar suspensas nas narinas. "Não quer enfrentar essa luta, Galathée? Contra a vergonha? Por favor. Ainda é tempo! Eu a ajudo, se você quiser." Segurou minha mão por um instante e a apertou, encorajadora. "Se eu consigo ver tão facilmente o que *era*, por que não imaginar que outros também conseguiriam?"

Abrindo uma trilha em meio à névoa, ela se afastou e foi se deitar no banco à minha frente, com as costas viradas para mim. Distendeu o corpo com um gemido de satisfação.

"A alegria da nudez. Eu adoro ficar nua, sobretudo se tenho companhia. Principalmente com os outros! Você não se sente igual? Desafiar a vergonha, ter coragem de se permitir essa liberdade, é um triunfo sobre a nossa natureza."

Depois o silêncio se estendeu por tanto tempo que pensei que ela se deixara vencer pelo sono. O vapor se adensou. Ouvi então que Zélide se virava, a pele úmida colando na pedra lisa.

"Realmente, a castidade é um escrúpulo apenas para gente de condição inferior. Os iletrados e os medrosos necessitam de regras e proibições para compreender o mundo. Entre os melhores, isso não existe. Nunca estive numa corte em que ser casto tivesse prestígio."

Eu me persuadia não por sua retórica, mas por um sentimento íntimo de realização: coragem eu tinha. Sim, certamente. E quais seriam as chances de eu ser agraciada de novo com uma amizade como aquela? Com tal ardor? Soltei a toalha e a deixei escorregar. Soprei fortemente algumas vezes, permitindo-lhe ver o que ela desejava desde tanto tempo. Sopramos as duas o ar quente, diversas vezes, garantindo que nada se interpusesse entre nós.

Zélide já estava doente nessa época. O veneno a corroía internamente, de forma que ela manteve sua aparência até o fim e eu por muito tempo não suspeitei de nada. Escondeu as dores de mim o quanto pôde, com medo de que eu procurasse outro emprego. Fiquei a serviço dela ainda por quatro anos, sempre em Vincennes.

Os primeiros meses foram uma festa. Passeávamos dias inteiros pelas ruas de Paris. Com o orgulho característico dos franceses, Zélide me mostrava as maravilhas de sua cidade. Ela era querida nos círculos mais brilhantes. Visitamos numerosos acadêmicos e magistrados, todos ansiosos por ouvir sobre as descobertas em Nápoles. Aonde quer que fôssemos, eu era sempre apresentada como uma igual — amigas íntimas, como ela tanto desejava. Em conseqüência, havia a expectativa de que eu participasse das discussões sobre todos os assuntos, de maneira que aprendi a conversar à moda francesa, segundo a qual é preciso sustentar as palavras e os argumentos no ar durante o maior tempo possível, como um malabarista. Quando as hemorragias começaram, obrigando Zélide a ficar de cama, eu era a única com permissão para cuidar dela. O declínio perdurou por mais de três anos. Fui eu, no final, quem a amortalhou e enterrou. Houve um testamento em que fui mencionada. A maior parte de sua fortuna fora gasta em inquirições intelectuais, ou, como disse o tabelião, havia sido "jogada fora". O restante passou por lei às mãos dos filhos de seu falecido marido. Para mim, Zélide deixou apenas os aparelhos de metal e vidro que acumulara ao longo de anos de experimentação. Os estábulos e cocheiras estavam abarrotados deles. Levei três meses para inventariá-los. Enfim, encontrei um artesão de cobre disposto a comprar todo o lote por cinco luíses de ouro, o suficiente apenas para me manter por dois meses.

À medida que ia perdendo as forças, Zélide se agarrava cada vez mais desesperadamente à "ciência", embora a cada dia se tornasse menos claro o que entendia por esse conceito. A primazia que dava às emoções resultava num entusiasmo voltado para interesses vagos e irracionais, nos quais insistia com uma obsessão que gradualmente acabou por aliená-la dos amigos e conhecidos. Ela se debruçava sobre os projetos mais desvairados como se tivesse esperança de encontrar neles a cura. Ao mesmo tempo, na Europa inteira a moda da ciência se expandira num grau inimaginável. Por todo lado brotavam novas disciplinas, como cogumelos depois da chuva, o que dificultava ainda mais distinguir os pensadores sérios dos curandeiros e charlatães. Muitos deles abusaram da credulidade e da curiosidade indiscriminada de Zélide, e, mesmo quando ela se apercebia de seus truques, continuava a financiá-los, pois, com a aproximação do fim, alimentar um sonho parecia-lhe muito mais importante do que se confrontar com a verdade.

Embora eu me esforçasse por separar o joio do trigo e apesar de ter enxotado um bom número de charlatães, botando-os porta afora, Zélide se entregava a caprichos sem conta, os quais a alegravam tanto que eu não tinha coragem de privá-la deles. Uma de suas obsessões era tentar se locomover sem utilizar cavalos ou força própria. Com esse intuito, adquiriu dos herdeiros de Papin os planos originais de um barco a vapor e decidiu construir um exemplar no Marne. Para gerar vapor suficiente, seria necessário transportar tanta madeira no barco, que praticamente não sobraria espaço para a tripulação, isso sem falar da carga — mas tudo não passava de probleminhas sem importância. Trouxe da Inglaterra um engenheiro para explicar o funcionamento da bomba de vapor de Newcomen, uma instalação imensa, com pistões e cilindros gigantescos, que havia sido concebida meio século antes e fora abandonada como impraticável. Quando nem a bomba a vapor holandesa de Meyer nem um engenho pneumático deram os resultados esperados, Zélide mandou esvaziar o salão para construir ali uma máquina que produziria eletricidade com o auxílio da assim chamada garrafa de Leiden. O assustador espetáculo atraiu meia Paris.

Durante semanas a fio recebemos os curiosos, até que Zélide

cessou as demonstrações e cerrou as portas para sempre, furiosa, pois os visitantes vinham apenas se divertir com a inovação, pouco interessados no potencial benefício para a humanidade que ela via ali. Decepcionada com a própria incapacidade de aproveitar para o bem geral uma força que ela podia enxergar com os próprios olhos e, pior, frustrada por não encontrar nenhuma prova racional ou pelo menos alguma explicação para a mera existência de tal força, Zélide capitulou à última de suas faculdades críticas. *Observo, ergo est* tornou-se o seu credo: se ela podia ver, logo, existia! Com isso, abriu caminho para uma vasta gama de impostores que conseguiam entusiasmá-la com tudo o que se mostrasse capaz de simplesmente produzir demonstrações plausíveis. Assim foi que por um bom tempo hospedou-se conosco um rapaz de Neuchâtel que construía andróides, bonecos mecânicos que sabiam jogar xadrez, escrever e compor; também o "conde de Saint Germain", que provava a efetividade de um elixir da vida com o argumento de que, tendo conhecido Jesus pessoalmente, fora testemunha de Seus milagres em Canaã; e um médico que prometeu tratar a doença de Zélide valendo-se da tiromancia, a arte de ler o futuro num pedaço de queijo.

Se no início ela me envolvia em todos os experimentos, rapidamente passou a viver dentro deles como num mundo próprio. Meu ceticismo a perturbava. Nossas conversas se tornaram menos pessoais e, no final, eu a ajudava mais como criada do que como amiga; era uma serviçal que ainda dava conselhos, embora não solicitados. Assim, vivíamos ambas satisfatoriamente, sem incomodar uma à outra. Apenas nas últimas semanas voltamos a falar em tom de confidência, como antigamente. Ela já não saía da cama e trabalhava com mais afinco do que nunca em sua prancheta de desenhos, mantida sempre ao alcance da mão. Projetava navios aéreos um depois do outro, às vezes três ou quatro por dia, com diferentes formas e princípios de flutuação.

A idéia lhe surgira pouco tempo antes, depois de termos visto um peixe no lago do jardim subir à tona da água para pegar ar. Ele encheu o corpo até ficar quase redondo, conseguindo permanecer na superfície sem nenhum esforço; quando lhe pareceu suficiente, deixou o ar escapar e voltou a mergulhar até o fundo. "Se esse princípio funciona na água", disse Zélide de repente, "por que não funcionaria fora dela?" Estava convencida de que a hipótese levaria à descoberta que a faria ser lembrada por séculos, desde que lhe restasse tempo suficiente para elaborar o conceito. Qualquer outra pessoa teria abordado a questão de modo prático e racional, formulando primeiro as leis que regiam o princípio, mas Zélide, que ouvia o tique-taque do relógio, pulou esse passo. Sua intuição lhe dizia que ela estava no caminho certo. Era o bastante, e, para não perder nem um segundo, começou a sonhar diretamente com as aplicações de sua nova invenção. Grandes folhas coloridas foram preenchidas até as bordas com desenhos de molas, engrenagens e fórmulas enigmáticas. Se ainda restava algum princípio técnico, este desaparecia em pontos cruciais, por detrás de balões coloridos ou de modelos que causavam verdadeira perplexidade. A tripulação dos navios voadores foi imaginada nos mínimos detalhes. Os aviadores trajavam uniformes irrepreensíveis e os passageiros se debruçavam despreocupadamente sobre a balaustrada.

Se eu me atrevia a provocá-la perguntando de que maneira suas máquinas decolariam, ela reagia com irritação. "Isso é secreto!", replicava, limitando-se a avançar que elas seriam movidas por algo que chamava de *soupe*. Tratava-se de um líquido que deveria ser ativado por outro fluido ainda mais secreto de cor verde, o qual, por sua vez, teria de ser misturado com água e deveria pingar — conforme o processo representado numa ilustração — sobre carvão em brasa, daí resultando um gás cor-de-rosa que seria responsável por erguer as máquinas do chão, sem maiores dificuldades. Eu tinha para mim, entrementes, que a doença agora devorava seu cérebro. Exteriormente, Zélide continuava bonita como de hábito, mas estava sempre tão exaltada que decidi não atormentá-la mais com a realidade.

Os momentos de lucidez, ainda que progressivamente mais breves e mais espaçados, existiram até o fim. Nessas horas, Zélide chorava muito, feito uma criança que descobre de repente ter se perdido em algum ponto do caminho. Eu então me sentava junto dela como minha mãe teria feito.

"O que você vai fazer?", ela me perguntou uma vez.

"Daqui a pouco vou preparar uma sopa e nós vamos tentar comer."

"Não agora!", disse-me rispidamente, com uma impaciência maior que a habitual porque não havia tempo para trivialidades. "*Depois*. Quando eu não estiver mais aqui. O que vai fazer?"

"Não se preocupe, há muita coisa para me manter ocupada." Meu tom frívolo teve um efeito contrário, fazendo-a quase mergulhar em melancolia.

"Talvez seja isso o pior", murmurou baixinho, para si mesma. "É o pior mesmo: tudo continuará, e eu nunca saberei como termina."

"Não se preocupe comigo. Tenho o mundo diante de mim. Tudo é possível. Resolverei os problemas à medida que surgirem."

Zélide tentou se sentar mais ereta. Ajudei-a e ajeitei os travesseiros. De repente, ela segurou meu pulso firmemente.

"Uma pessoa pode pesar infinitas possibilidades, mas há sempre uma que ela deseja mais do que às outras. Pense nisso!"

Prometi pensar, mas meu tom de voz a magoou. Ela percebeu que eu falava com condescendência, exatamente como vinha fazendo nos últimos dias, para acalmá-la e evitar confrontações. Mas desta vez ela não se deixara aplacar e, por um instante, redescobriu a antiga paixão.

"A razão nos oferece muitas oportunidades simultâneas. A intuição escolhe infalivelmente a melhor entre elas. Tenha isso em mente e não errará. Fará sempre a escolha certa."

"Sempre?"

"Sempre!"

"Mesmo em assuntos do coração?"

"Principalmente. Ah, é tão simples... E ainda assim tanta gente passa a vida inteira sem se dar conta disso. Agora ouça: é uma questão de fechar os olhos e fazer a primeira coisa que vier à cabeça. Está me escutando? É só isso, nada mais. As pessoas só conseguem desejar uma única coisa de cada vez."

Permanecemos um longo tempo de mãos dadas. Foi a nossa despedida — ambas sabíamos. Embora ainda tivéssemos alguns dias pela frente, foi nesse momento sem palavras que nos desligamos uma da outra. Quando por fim me levantei para buscar a sopa, dei-lhe um beijo, mas ela já estava com a prancheta e recomeçara a trabalhar em seus navios aéreos. Com a ponta da língua aparecendo por entre os dentes, fazia esboços de um casal de viajantes, passageiros do engenho flutuante que tomavam chá entre as nuvens numa mesinha no deque. Zélide fez uma anotação ao lado, especificando que a mesa deveria ser posta com tecido adamascado e talheres de prata genuína.

Todo aquele ano já havia sido anormalmente quente. Em agosto, tornou-se insuportável. Os dias eram incandescentes e as noites não traziam refresco. Parti de Vincennes com alguns livros e as roupas do corpo, mas antes de chegar à estrada já fui obrigada a tirar o jaleco e abandoná-lo junto de um arbusto.

Eu estava com vinte anos. Não tinha família, amigos ou posses, salvo as lições que recebera de Zélide e de monsieur de Pompignac. Agora estava claro que nem a exultação permanente dela nem a fé na razão que ele professava lhes garantira paz ao morrer. Todos os caminhos se abriam diante de mim. Anos antes, ao partir de Pasiano, havia tomado a direção sul. Desta vez, escolhia o sentido oposto.

Decidi-me por Amsterdã, uma das primeiras grandes cidades de que monsieur de Pompignac me falara. Repetidamente me deparava com esse nome nos volumes que ele me dava para ler, pois lá haviam sido impressos a maioria dos livros mais importantes. Na Holanda, contou-me, Descartes e Spinosa haviam encontrado um porto seguro. De vez em quando, cheio de reverência, abria a primeira página de um livro, apontava o nome do impressor e se desfazia em elogios aos holandeses, por sua grande liberdade intelectual. O povo batavo era limpo e tolerante, dizia, rico e cristão; consideravam todas as pessoas como iguais e nunca impediam ninguém de expressar uma opinião própria. Fazendo comércio com o mundo inteiro, importavam as convicções de outros povos junto com a pimenta e o café. Homens como Locke e Bayle haviam encontrado ali um refúgio e louvavam a atmosfera geral que lhes permitia pensar e movimentar-se em liberdade. Da biblioteca da signora Morandi, em Bolonha, eu conhecia o *Systema Naturæ* e o *Genera Plantarum*, que continham todas as flores e espigas estudadas por Linnaeus no Jardim Botânico de Amsterdã. Só de pensar na cidade, já via um paraíso onde o espírito humano florescia em meio a todas as flores do mundo e onde cresciam livremente todos os ramos da ciência.

As árvores ao longo do caminho entre Vincennes e Paris haviam sido podadas segundo a moda mais recente, ditada por Luís XV. Ofereciam pouca sombra, e debaixo delas até os pássaros tinham de lutar pela sobrevivência, bico aberto e asas estendidas. Procurei em vão uma carruagem que me levasse ao Marais, de onde partiam coches para o norte. Antes de percorrer a primeira das seis milhas em direção à cidade, já estava encharcada de suor, de modo que não hesitei ao alcançar a pontezinha sobre o riacho: desci e me refresquei na água fria sob os arcos escuros. Depois, vesti apenas as roupas necessárias para continuar decente, dobrei a anágua e a transformei numa sacola para carregar as outras peças de roupa. Quando subi de volta à estrada, vi um homem se aproximar. Caminhava sem erguer os olhos, perdido em pensamentos, imerso em qualquer coisa que lia. Já estava a dez passos de mim quando de repente estacou. Deu um grito e pôs as mãos na cabeça como se uma pedra o tivesse atingido, embora o golpe não pudesse ter vindo senão das palavras que o absorviam. Buscava ar como se fosse um homem ferido e, agitando os braços, olhava ao redor em busca de apoio. Corri em sua direção e o ajudei a sentar no chão. Não reagia às minhas palavras. Concluí que o sol forte o afetara e me apressei então em buscar um pouco de água; na volta, entretanto, ele parecia exultante demais para beber.

"Então é verdade, não é?", gritou, tomando as minhas mãos como se quisesse dançar uma ciranda. "Por que estão todos sempre tão curiosos em saber exatamente como as coisas funcionam? As pessoas só fazem cálculos por ganância, e se não houvesse injustiça ninguém precisaria estudar leis! Sem guerras e conspirações, nada de histórias para contar!"

Ele explodiu em lágrimas. Deduzi, pelo desvario, que estava pior do que eu pensava, e não só por culpa do sol. Tentei me desembaraçar do homem, mas ao perceber o meu medo ele se desdobrou em desculpas.

"Perdoe-me, estava indo para Vincennes... Um amigo..." Ele gaguejava. "Ele está preso. Estou a caminho para visitá-lo e acabo de ler... Poderia ter trazido qualquer outro livro, mas por acaso escolhi este aqui. Inacreditável! E agora leio... leio isso aqui..." As palavras lhe faltavam, mas ele pressionava o volume do *Mercure de France* nas minhas mãos e apontava um anúncio impresso. Aproveitei a situação para fugir e o deixei para trás na estrada, ainda estupefato.

Somente mais tarde, já instalada num coche que rumava a trote firme para o norte, pude ler o lhe causara tamanho impacto. Era um chamado da Academia de Dijon para um concurso de ensaios. O tema a ser desenvolvido era este: *O desenvolvimento da ciência e das artes terá contribuído para a deterioração ou para a melhoria da conduta moral dos indivíduos?* Eu não tinha nenhuma opinião imediata a respeito; podia apenas observar que isso não trouxera maior segurança às ruas. Agradecida por ter escapado ilesa do encontro com o louco, murmurei uma prece. Joguei o papel pela janela do coche, mas até Senlis uma melancolia difusa certamente me perseguiu. Não era muito diferente do que eu havia sentido uma noite em Pasiano, ainda garotinha. Eu estava nos aposentos da condessa, brincando no chão, e dali podia ouvir o que os adultos conversavam no terraço. Percebi que falavam apaixonadamente de alguma coisa muito maior do que as nossas vidas, e, embora contente por brincar, pelejava para entender o que diziam, sendo obrigada a admitir, afinal, que não era capaz. Naquele momento, fui tomada de uma tristeza que jamais havia sentido.

III. THEATRUM AMATORIUM

Todo outono meus pais passavam uma ou duas semanas na fazenda de meus tios em Belluno. Lá era mais comum encontrar javalis do que em Pasiano, e os veados pareciam menos alertas. Acima de tudo, assim me disseram, as perdizes se reuniam em campo aberto para voar de encontro aos caçadores. Enquanto meu pai saía para caçar com o irmão, minha mãe ia em busca de amoras, groselhas e cogumelos. Depois do meio-dia, todos se juntavam para esfolar e salgar a carne dos animais, limpar e secar os fungos e cozinhar e preservar as frutas.

O prazer de vê-los retornar a nossa casa sempre superava a tristeza que eu sentia em sua ausência. Eles esvaziavam as sacolas na cozinha, pesadas e repletas. Organizavam em pilhas as iguarias que deveríamos comer até a primavera seguinte, mas já me deixavam provar as nozes adocicadas e a geléia de groselha. Minha mãe sempre me contava — até que cresci e deixei de acreditar — que meus tios moravam no topo de uma montanha de arroz-doce, às margens de um lago de vinho, no País das Delícias.

No outono do ano em que completei seis anos, meus pais

decidiram me levar com eles. A montanha me pareceu coberta de uma densa floresta, o lago era negro, repleto de folhas que apodreciam, e o que havia ali era uma pequena propriedade. Meus tios eram pessoas simples. Tinham um filho, Geppo, a quem amavam com toda a alma. Era aproximadamente dez anos mais velho do que eu, mas retardado, e desde pequeno fora mantido preso no jardim. Todas as manhãs, quando saíamos para colher delícias no bosque, ouvíamos meu primo lá longe, puxando suas correntes porque queria nos acompanhar. Sempre que esse barulho ressoava por entre as árvores, minha tia precisava se controlar para não voltar e tranqüilizar o filho; por outro lado, também não se arriscavam a deixar livre o rapaz, temerosos de que algum mal lhe acontecesse. À tarde, a enorme mesa em torno da qual nos sentávamos todos era posta próxima do pequeno idiota, que parecia se entreter com as nossas atividades. Às vezes, enquanto trabalhávamos, ele vinha se sentar conosco e ajudava na seleção das nozes.

Nos dias quentes, permitiam-lhe que fosse nadar. Era a sua paixão, a sua vida. Podia nadar horas a fio, sem descansar um só instante. De ombros largos e fortes, parecia infatigável em seu elemento, mas ainda assim não tinha permissão de entrar na água sem uma grossa corda amarrada na cintura. Meu tio segurava firmemente a outra ponta, e ao sentir um puxão inesperado — caso meu primo tivesse mergulhado muito fundo ou se afastado demais da margem —, ele se apressava em socorrer o filho, ainda que este fosse melhor nadador do que o pai e nunca estivesse em perigo.

Nos dois primeiros anos, mal tive coragem de chegar sozinha perto de Geppo, mas no outono seguinte pude me aproximar dele. Eu havia torcido o tornozelo numa trilha empedrada e não podia mais ir com os outros ao bosque. Morta de tédio, resolvi, uma manhã, saltar o muro e dar uma espiada em meu primo de juízo fraco, que ficou me fazendo sinais e tentando agarrar minha perna. Quando enfim deixei que a pegasse, percebi que ele tinha um toque delicado. Durante bem uma hora, Geppo massageou meus pés e meu tornozelo inchado. Fez isso com plena dedicação, como se não existisse mais nada no mundo. Ao terminar, pude ficar em pé sem sentir dor.

Tornamo-nos bons amigos nos dias que se seguiram. Eu conversava com ele e lhe contava sobre Pasiano, sobre como vivíamos ali, sobre a condessa, o conde e seus convidados. No final da primeira semana, ele um dia me interrompeu inesperadamente. Levei um susto: era a primeira vez que o ouvia falar. Expressava-se de maneira inteligível, embora não se pudesse saber com exatidão a que se referia e ainda que encerrasse cada frase rindo incontrolavelmente das próprias palavras.

Brincamos juntos durante toda a semana, e, quando lhe era permitido ir nadar, eu podia acompanhá-lo até me cansar. Em certo momento, lamentei o fato de que seus pais o mantivessem preso. Como de costume, ele não reagiu. Somente depois de eu ter falado horas sobre outras coisas é que me interrompeu no meio de uma frase:

"Pois é", disse Geppo com uma voz forte e clara, "eles me amam porque minha cabeça é pobre." Em seguida, riu tanto que teve um acesso de tosse. Ao se recompor, concluiu: "Isso serve para mostrar como a deles é rica".

No ano seguinte, quando voltamos a Belluno, meu tio e meu primo haviam falecido. Haviam se afogado num dia de verão, quando a corda de Geppo, durante um mergulho, se prendeu por detrás de um galho no fundo do lago e o manteve embaixo d'água. Meu tio, ao tentar salvar o filho, também ficou preso. Naquele outono meu pai saiu para caçar sozinho, enquanto mamãe e eu fazíamos companhia à minha tia, que diante de mim tentava parecer forte. Só a vi chorar uma vez. Mamãe cozinhava as groselhas, eu as adoçava, minha tia as amassava e coava bem, com uma peneira de ferro. Na sua tristeza, ela não fazia um único ruído, mas de repente vi as grossas lágrimas que caíram de seus olhos e se misturaram à polpa.

"É o que me coube", disse, sem se dirigir a ninguém em particular. "Pois não foi um pecado de ingratidão, não agarrar com as duas mãos aquela felicidade?" Em seguida, despertou de seus pensamentos e, percebendo que eu estava sentada ali do seu lado, abraçou-me ardorosamente, como se quisesse continuar assim para sempre. Quando me desprendeu, havia polpa de fruta no meu cabelo. Ela não voltou a demonstrar a sua dor, mas no inverno, à medida que abríamos nossos potes de geléia de groselha, descobríamos que tinham todos um gosto salgado.

1.

{Amsterdã, 1758}

As mulheres se sentam em cadeiras baixas. Se possível, de costas para o público. Mantêm a cabeça abaixada e os ombros erguidos, com medo de serem atingidas por algum objeto duro. Seria melhor se elas se virassem e vissem quando e de que lado virá o ataque, mas o olhar que os visitantes lhes atiram dói mais do que os projéteis. Oficialmente já não é permitido jogar coisas nas prisioneiras, mas, seguindo a tradição, o clímax dessa forma de diversão é tentar atingi-las com objetos quando são exibidas. Por uma pequena gratificação afora o preço do ingresso, o porteiro permite entrar com bugigangas específicas para tal finalidade. Entre as bolas de papel e as cascas de vegetais, os visitantes freqüentemente escondem maçãs verdes ou coisa pior. Querem fazer valer o dinheiro pago, e nada melhor para a festança do que a felicidade de conseguir que uma prostituta dê um grito. Quem consegue extrair algum sangue de uma das meninas torna-se instantaneamente herói da multidão. Organizam-se competições com esse propósito, e o público pode fazer suas apostas. Como se o espetáculo lhes passasse despercebido, as mulheres que são o alvo dessas atenções seguem debruçadas no trabalho.

A casa de fiar de Amsterdã é uma fonte de entretenimento popular, a exemplo de instituições similares em Delft, Leiden e Haia. É um passeio obrigatório para os viajantes, e dos mais econômicos. Por uma moedinha, pode-se ficar ali todo o tempo que se desejar. É comum ver uns rapagões bem-compostos que, para impressionar a noiva, rogam pragas e insultam as prisioneiras; surpreendeu-me constatar que damas perfeitamente honestas se deleitem com esses gestos. Além disso, todos os relatos de viajantes recomendam uma visita às instituições de punição, de modo que nenhum estrangeiro deixa Amsterdã sem experimentar essa típica atração holandesa.

"Impensável!", exclamou mister Jamieson. "Imaginar que você nunca esteve aqui! Morando quase na esquina!" Ele falava sem tirar os olhos das mulheres expostas, de sorte que não notou meu desconforto. "Onde mais no mundo se poderia encontrar semelhante espetáculo?" Perguntou-me então que métodos eram empregados na instituição para obrigar as mulheres à regeneração e como se distinguiam as ladras das prostitutas, pois a seus olhos eram todas igualmente repulsivas.

Meu amigo americano supunha estar me agradando.

Nos últimos meses, havíamos nos divertido muito por Amsterdã, sempre em programas inocentes e alegres. É um homem de natureza afável, que pede pouco e sabe aproveitar os prazeres simples da vida. Durante muitos anos ele próprio caçou, esfolou e curtiu as peles que negocia, o que lhe deu mãos ásperas como pedra-pome e maneiras um tanto toscas. Mas suas peles e camurças são famosas e muito apreciadas em todas as cortes da Europa, graças a uma técnica secreta que lhe possibilita esticá-las perfeitamente, livrando-as de cada irregularidade, de cada veia e das menores capilaridades. Desde alguns anos, detinha o monopólio da caça aos ursos e castores nos vales do Hudson, e no último outono chegara à Holanda para incrementar a distribuição de suas mercadorias a outros países da Europa.

Costumávamos nos encontrar, como já mencionei, às quintas-feiras. Ele vinha à tarde, dávamos um longo passeio e jantávamos em seguida. Às vezes, levava-me também para dançar ou, menos freqüente, a alguma *soirée* a que fora convidado. O hábito cresceu por si, sem que tivéssemos combinado nada *a priori*. Quando, naquela noite em que o destino resolveu brincar comigo, uma crise de gota o forçou a cancelar nosso encontro, meu sentimento foi de genuína decepção, e durante um bom tempo andei de um lado para outro sem rumo, como se o dia houvesse perdido sua razão de ser. Por fim, repreendi a mim mesma — Jamieson, afinal, era vinte anos mais velho, não era atraente e não trazia nenhuma perspectiva de casamento. Decidi me arrumar e ir ao teatro francês, mas naquele dia, de todo modo, me dei conta de como gostava dos pequenos passatempos que ele inventava e para os quais me raptava exultante.

Não havia motivo para supor que seria diferente com sua nova surpresa. Jamieson veio me buscar em casa, como sempre. Não fomos muito longe; apenas andamos na direção do Oudezijds Achterburgwal. Quando ele parou algumas casas adiante e seu olhar, resplandecendo, moveu-se da imponente fachada da casa de correção para mim, já era tarde demais para protestar.

No ático, onde as prostitutas eram exibidas dentro de uma enorme gaiola, juntamente com outras mulheres necessitadas de regeneração, pude explicar a Jamieson que o fato de não ter ido antes a um espetáculo tão próximo de minha casa não significava que o desconhecia. Ao contrário. Por insistência dele, contei-lhe o que sabia sobre o lugar. Fiz a pequena preleção num tom de voz comedido, desapaixonado, tentando não provocar os suspiros cheios de compaixão que, para meu desgosto, o negociante de peles deixava escapar ao ouvir sobre a vida brutal na casa de fiar. Não queria tampouco embaraçar ainda mais as pobres mulheres.

Quando terminei, ficamos em silêncio, como elas, que se recusam a falar na presença de observadores. A punição não consiste mais em fiar, como antigamente; hoje elas costuram panos, sobretudo o linho. A maioria tem os dedos enfaixados, pois os fios rasgam a carne tão profundamente, que às vezes cortam os tendões. Em silêncio, ouvimos por algum tempo suas mãos hábeis trabalhando, o deslizar do tecido entre os dedos e o ruído esporádico de um lençol chicoteando o ar ao ser dobrado com um súbito gesto de raiva.

Isso não bastava para os demais espectadores. Um deles esbravejou que exigiria de volta sua moedinha, caso as prostitutas se mantivessem quietas e bem-comportadas. Um outro o apoiou, gritando que nas vielas perto da Kalverstraat as irmãs delas eram muito menos preguiçosas e pelo mesmo preço estavam prontas a "dar uma mão" ao transeunte. Nesse momento, entrou em cena o casal responsável por vigiar a produção e o ganho das pecadoras. Com um pedaço de pau, o "pai" e a "mãe" da casa cutucavam as mulheres na cintura, incitando-as a se mostrar mais aos visitantes. A maioria se submeteu; a contragosto, elas se viraram para nós, apenas para que em agradecimento mais imundícies lhes fossem lançadas face a face. Os visitantes expressavam em voz alta a decepção com a feiúra das mulheres e troçavam dos antigos clientes, que deviam estar cegos ou desesperados para terem usado aqueles lixos.

Uma única mulher dentro da jaula ainda se negava a exibir-se para nós, mesmo sob uma chuva de safanões e xingamentos. Eu mantinha o olhar fixo em suas costas, evitando assim que os meus olhos encontrassem os das outras. Ela tremia. Respirava em grandes golfadas que dilatavam suas costelas. Seus dedos pareciam fazer uma força enorme, em desafio, enroscados no encosto da cadeira como se estivessem repuxados pela cãibra. Não demorou a ser descoberta. A multidão esfomeada se encarniçou contra aquela única mulher relutante, e, como prova de superioridade, todos a provocaram com obscenidades ainda piores.

A cena era insuportável. Puxei mister Jamieson pelo braço. Também corado de vergonha, ele me pediu desculpas, à sua maneira meio pueril. Juntos tentamos forçar caminho em meio à multidão, mas as pessoas sentiam cheiro de sangue e não davam passagem. Um homem golpeou por trás a cabeça do meu acompanhante e eu fui empurrada contra a paliçada que separava as detentas dos visitantes. Nesse exato momento, a solitária mulher que não se rendera, e que até então permanecera sentada, de costas para o público, também foi atingida por trás, com um pedaço de madeira que alguém levara às escondidas. Sua respiração parou, e ela se ergueu da cadeira com todos os nervos do corpo retesados. Permaneceu assim, em pé, enquanto os gritos cessavam num silêncio expectante. Estavam todos intimidados, a não ser por um palerma que teve a coragem de lhe enviar uma cusparada que a atingiu em cheio no cabelo, na altura do pescoço. Sem limpar o escarro, ela esperou uns instantes, imóvel.

Aproveitei essa pausa para tentar alcançar a porta, forçando passagem entre os espectadores e a grade. Justo nesse momento a mulher na jaula arremeteu todo o seu peso de encontro à grade, como um animal selvagem, com tanta fúria que o ático inteiro tremeu. Assustados, seus provocadores recuaram. Eu também, mas não o bastante, pois ela esticou as mãos por entre as barras e agarrou meu braço, tentando me fazer refém, como se fosse eu a maior culpada pelo seu sofrimento. O que primeiro me subjugou foi o fedor nojento que ela espalhava; a única coisa que me separava do seu hálito podre era o meu véu. Atrevi-me então a olhá-la de frente, e a visão foi horrenda. Vi um nariz corroído pela sífilis e uma cara tão magra e marcada que o diabo parecia ter cavalgado sobre ela com suas ferraduras. Aquela mulher estava muito doente. Se não recebesse imediatamente uma dose de mercúrio, morreria logo.

"Meu Deus", sussurrei, num misto de simpatia e horror. "Pobre alma, sinto muito."

Compaixão era algo inesperado para ela. A força de sua mão diminuiu. O rosto se distendeu. Ela me olhou fixamente, os olhos arregalados como uma criança, procurando me ver através do véu. Quando tentei aproveitar esse momento de fraqueza para me soltar, a fúria reapareceu. Com forças redobradas, ela meteu as garras ainda mais fundo em minha carne e fui puxada para junto do seu corpo decrépito, como um moeiro que fica preso entre os dentes da engrenagem e se vê arrastado inexoravelmente para a roda. No meu pânico, gritei por socorro em minha língua materna e chamei o primeiro nome que me veio à cabeça. Um nome que eu não pronunciava em voz alta desde a juventude. Agora, sem saber por que, eu o repetia aos gritos.

Quando foi que reconheci o meu Giacomo naquele francês em roupas de seda? Repassando a memória, quase não posso acreditar que não tenha sido na ópera, no nosso primeiro encontro, quando ele foi trazido ao meu camarote, ou mesmo antes, talvez, ao ouvir sua voz no canal dos Senhores, quando a meu pedido o barqueiro se deteve sob a ponte. Seja como for, tive plena certeza quando a tempestade às margens do Amstel fez voar sua cabeleira postiça. Para ser franca, entretanto, mesmo depois de confrontada com a verdade, ainda demorei um bom tempo, como são Tomé, a crer dentro do coração. O choque foi repentino demais. Foi como receber a notícia de uma morte inesperada: o acontecimento estava claro para mim antes que eu pudesse conhecer seu significado e seu alcance.

Ao longo dos anos, meu amado havia passeado livremente pela minha imaginação, com seus olhos grandes, seu rosto cor de azeitona e sua pele macia, exatamente como da última vez que eu o tinha visto. Agora, os traços da meia-idade haviam desfigurado o rapaz de dezessete anos; nem com toda a boa disposição do mundo minha memória conseguia associá-los com os risos e brincadeiras a que eu me apegara.

O homem maduro suplantou o jovem. Repudio a ambos. Embora a razão me diga que isso não é racional, minhas emoções me justificam. Culpo a todos — ao jovem e ao velho, a Jakob, Jacques e Giacomo — em igual medida. Na verdade, não posso recriminar ninguém além de mim. Fui eu mesma quem o congelou no tempo. Convencida de que nunca o veria novamente, não tinha motivos para ajustar a imagem de Giacomo à passagem dos anos. Ao contrário, era um consolo deixá-lo assim, imutável. O inverno em que eu tentava sobreviver me infligira punição tão severa, que deixei de contar com a possibilidade do degelo.

Se sua aparência física de agora era incompatível com o sonho, muito bem: a pele pálida, o nariz pontiagudo, os lábios cheios e protuberantes, o olhar de águia em perseguição da presa — a tudo isso eu poderia me acostumar. Dou um passo para trás e percebo um todo que me atrai e me provoca insolentemente. E por que não seria assim? Talvez não fosse o rosto de alguém a quem eu escolheria me confiar nos momentos de dor, mas ao menos não era hostil. Era simplesmente o resultado de uma soma que eu havia esquecido de completar.

Mas algo muito diferente era a sua natureza íntima, da qual, sem me dar conta, eu trazia uma imagem comigo. Não possuía contorno ou características definidas, mas ainda assim era possível reconhecer nela o homem que eu amara. E, independentemente de eu imaginar o rosto conectado ao caráter, estivera sempre latente em mim a certeza de que o amor de Giacomo era maior do que o meu. Maior, melhor, mais gentil. Afinal, eu mesma havia podido prová-lo. Giacomo compreendia melhor do que eu o que significava amar, foi o que presumi. Não, mais que isso: presumi que ele era o amor. Os que já sentiram o doce êxtase dessa certeza sabem tratar-se de algo tão concreto quanto o chão que pisamos. É um saber inominado e indescritível, semelhante à certeza silenciosa das mães gestantes, que, ao sentir a vida em seu ventre, não duvidam um segundo que amarão a criança que carregam e serão amadas por ela. Uma emoção dessa ordem nunca reside na consciência. Só nos damos conta dela quando desafortunadamente a perdemos. A perda nos faz refletir sobre o que possuíamos, nossa decepção nos recorda as expectativas que alimentávamos. O raciocínio lhe dá forma e, assim, nos permite reconhecê-la. Dolorosamente e com uma crueldade gratuita, a razão expõe a traição do sentimento.

Eis o que se passou na noite que narrei, quando, diante dos meus olhos, o Giacomo adulto matou o Giacomo jovem, enquanto nos despedíamos sob a chuva fina.

"Era mulher", ele disse. Foi sua única explicação para não ter encontrado a amada ao retornar a Pasiano naquela primavera. "Era mulher."

Tranquei a porta sem dizer mais nada e fiquei ouvindo seus passos desaparecerem pelo Rusland.

Durante dias me vi presa de uma profunda perturbação. À noite, o sono não vinha e eu andava pelo quarto; de dia, não conseguia me dedicar a nada e permanecia deitada. Minhas roupas, minha alimentação, minha higiene — negligenciei todos os rituais da vida. Tudo me parecia sem importância. Mantive as persianas fechadas.

"Ma, signora, avanti!" Danae tentou me animar quando passou por minha casa com Giovanna para acertarmos os negócios do dia. Fez de tudo para melhorar minha disposição: "Você precisa realmente sair para dançar amanhã, porque sem você a cidade é uma tristeza! Olhe o seu estado! Sempre tão cheia de cuidados com a aparência e agora veja só... O que houve com você?".

Meu sentimento era de humilhação: sentia mais vergonha do que tristeza. Se lutar pela sobrevivência havia me tornado tão forte, tão dura, como era possível que me deixasse surpreender por uma obviedade tão previsível? Os anos que haviam me tornado irreconhecível tinham feito o mesmo com o meu amor. Eu devia saber, mas talvez simplesmente não tivesse parado para pensar. Obrigada a vencer as adversidades que se sucediam, talvez tivesse tornado imutável o passado como única segurança ao meu alcance. É impossível contemplar a vida quando se está lutando para continuar vivo. A reflexão é um luxo dos que não precisam se preocupar com o futuro.

Minhas recordações felizes eram escassas e imóveis, como cenas registradas numa tela. Mas que pintor pára para meditar sobre o que acontece quando o pano de fundo é recolhido, as luzes se apagam e os figurantes voltam para casa? Que admirador da arte está interessado em saber se logo depois eles saíram de suas posições, espreguiçaram-se xingando e correram para fazer suas necessidades, ansiosos por se livrar daquelas roupas empertigadas e ir se embriagar em alguma taverna? É óbvio: queremos a Última Ceia, mas não a moça que vem tirar a mesa, recolher as travessas, limpar os restos de comida ou um copo de vinho derramado; não queremos as manchas na toalha nem o gato que lambe os pratos.

Claro, Giacomo não interrompera a vida depois da nossa

despedida. Graças a Deus, não. Meu plano, meu mais ardoroso desejo, era que me esquecesse e voltasse a ser feliz. A vida, depois, continuou inevitavelmente a transformá-lo — isso eu podia aceitar. Era natural que assim fosse. Mas que se mostrasse tão amargo sobre a traição do seu primeiro amor, tão cheio de desprezo por todas as outras mulheres... Recriminando a si próprio, Giacomo falava do nosso passado — que determinara por inteiro o traçado da minha vida — como uma lição pela qual todo homem precisava passar uma vezinha... Devia ter sido capaz de prever o que aconteceria, faltou-lhe apenas um pouco mais de experiência... Não, esses eram frutos intoleráveis de algum sombrio conto de fadas.

Para me acalmar, repetia a mim mesma que ele desconhecia minha verdadeira identidade e que teria falado em tom mais gentil se soubesse quem era a mulher diante dele. Mas será que isso não piorava as coisas? Expressava sua decepção livremente, e não tenho dúvida de que ouvi a mesma versão não censurada que ele difundia entre os amigos em Veneza ou que contava a estranhos nos albergues de estrada, depois de apreciar uma jarra de vinho: a tragédia da minha vida reduzida a falcatrua barata. Por trás de suas palavras, quase o ouvi rir ao término de sua história amarga, como costumam fazer os homens entre si ao falar de nós, mulheres. Quem sabe até tivesse amantes a quem contara tudo sobre mim, alertando-as de que conhecia seus truques.

Acusei a mim mesma por sua metamorfose. Teria o Giacomo apaixonado se transformado no cínico Seingalt se eu, no Pasiano, na encruzilhada da minha vida, tivesse escolhido o caminho do coração? Se eu, com o raciocínio, não tivesse combatido os meus desejos selvagens, se tivesse tido coragem de aparecer diante dele em seguida à minha doença, se tivesse confiado no nosso amor — confiado a ponto de submetê-lo àquela prova —, em suma, se tivesse deixado a vida e a natureza decidirem? Se não tivesse me sacrificado como uma dessas tolas heroínas de ópera? Nesse caso, eu teria sido a única a estar deformada. Agora, estávamos ambos.

Durante três dias enlouqueci com esses lamentos. Repeti infinitamente dentro de mim as frases mais dolorosas da nossa conversa às margens do Amstel, sobretudo aquelas em que ele alegava ter sido sempre vítima de intrigas femininas, sem exceção. E pior: que ninguém jamais o amara verdadeiramente. Fixei-me de maneira tão obsessiva nesse argumento, que apenas no quarto dia recordei outra passagem da conversa. E essa me sugeriu uma idéia muito estimulante, tanto que me fez entrar em ação.

Lavei-me, vesti-me adequadamente e saí. No Izaak Duym, ao sul da prefeitura, comprei um quinto de resma de papel, o mais fino que havia ali, e mandei cortá-lo. Já em casa, as folhas permaneceram intactas sobre a mesa até a noite, enquanto eu divagava ao redor delas. Encontrei, por fim, estas palavras:

Nobilíssimo senhor,

Meu caro chevalier,

Há pouco tempo o senhor me propôs um duplo desafio.

O primeiro: que eu o autorizasse a me cortejar, para julgar por mim mesma se o senhor de fato é um espécime excepcional, um homem que não pensa apenas em si próprio — algo que me parece de todo improvável.

O segundo: mostrar-lhe uma mulher que sofreu em decorrência de tê-lo amado — possibilidade que o senhor descarta liminarmente.

Para afastar um pouco o meu tédio, estou disposta a aceitar o desafio. De qualquer forma, já lhe aviso que serei eu a vencedora desta brincadeira: se o senhor falhou como homem, então pagará o meu prêmio, e eu o exigirei, esteja certo. Se o senhor fizer jus à sua autoproclamada reputação, desfrutarei então de algumas horas felizes na sua companhia. Se depois disso nos separarmos amigavelmente, como prevê o senhor, não terei perdido nada; se, entretanto, depois desse nosso tempo juntos eu me sentir infeliz, serei a primeira exceção à sua regra. Então, para minha própria tristeza, terei vencido a segunda parte da nossa aposta, e o senhor, por fim, estará obrigado a me pagar.

Caso não queira desistir dessa aposta que já perdeu antecipadamente, estarei então preparada, como o senhor requisitou, a gratificá-lo com o benefício do meu amor.

Sem mais, fico à sua disposição.

Sua,

Galathée de Pompignac

No dia seguinte recebi um convite de Seingalt para acompanhá-lo a uma apresentação de *Arlequim Hulla*, ou A *mulher repudiada* e jantarmos juntos logo depois. Isso já me irritou, pois a comédia em questão era encenada somente aos sábados e sua carta havia chegado às minhas mãos na quinta-feira. Não estou acostumada a me fazerem esperar. Decidi, contudo, não estragar minha diversão e dedicar-me a mister Jamieson, pois era o seu dia regular de visitas. Mas certamente teria sido muito menos gentil e atenciosa se soubesse que nesse dia meu amigo americano planejara me surpreender com uma visita à casa de fiar.

A prostituta que me agarrou pelo braço no ático não estava disposta a me soltar. Suas unhas cravaram em minha pele como farpas. Mister Jamieson tentou desvencilhar meu braço dos dedos da mulher, mas a loucura dela era mais forte. O guarda reagiu ao meu pedido de socorro e veio correndo em meu auxílio. Segurou a harpia pelos ombros e, quando isso não deu resultado, apertou-lhe um pedaço de pau contra a garganta, puxando-o com toda a força, sufocando a mulher enfurecida para que me soltasse. Ela só afrouxou meu braço quando estava praticamente sem ar, mas ainda lhe sobrava vida o bastante para retomar o ataque. Conseguiu dessa vez rasgar minha jaqueta e, em nova investida, agarrou meu véu. Arrancou-o do meu rosto, para maior e mais prazerosa diversão dos presentes. Em seguida, tombou no chão, arquejando. Mesmo caída, entretanto, a prostituta continuou a me fixar de olhos arregalados por detrás das grades, enfurecida, enquanto estudava o meu rosto e desfiava selvagemente o meu véu.

Eu estava exposta ao público.

Mister Jamieson jamais tinha visto minhas cicatrizes. Por um instante inclinou-se ligeiramente em minha direção, como se não estivesse muito certo sobre o que via.

"Ah", ele disse, sem mostras de nojo ou piedade, antes aliviado, como se tivesse encontrado algo que procurava desde muito tempo. "Ah, sim." Então, muito brevemente, sua mão amparou meu rosto. Senti o toque gelado e tremi — naqueles anos todos, ninguém jamais o havia tocado. Imediatamente e sem uma palavra, passou seu cachecol ao redor dos meus ombros e eu pude esconder nele a minha vergonha. Abraçado a mim, guiou-me para a saída.

"É isso mesmo! Vamos! Corra!" A multidão em fúria urrava e ria à minha passagem. "Corra para longe! Não pode fugir da verdade, não é? Veio se divertir, puta judia nojenta? Veio ver as coisas do lado de cá? Veio gozar? Veio rir das outras? Que decepção! Está ouvindo a gargalhada? Pois é para você! Agora todos sabem! Nós vimos! Nós vimos!"

2.

Os holandeses comparam as prostitutas aos cavalos. Os pangarés, diz-se no jargão local, são as mulheres que fazem a rua com seu trote pesado. Os cavalos de boleio são as que se exibem nas janelas e as gatinhas das casas de jogo. Os cavalos de coxeadura dos cabriolés e charretes são as meninas de salão e as meretrizes das casas de prostituição mais discretas, que se sentem superiores às suas colegas de profissão. E os cavalos de sela são as damas que se deixam sustentar de maneira quase honrada, à semelhança de senhoras casadas.

Vi todo tipo de estábulo ao longo dos anos. Fui obrigada. Não existe uma só carroça a que eu não tenha sido atrelada. Essa é a verdade pura e simples.

Não se esqueça de que na época em que cheguei a Amsterdã, vinda de Paris, eu ainda andava descoberta. Por toda parte na cidade, a água negra e plácida refletia minha imagem, seguindo-me em cada ponte, em cada canal. Quando alguém me olhava pelas ruas, via em primeiro plano a minha deformidade; depois, a mim. Todo olhar escorregava invariavelmente da lateral do meu rosto e descia pelo pescoço até a garganta. Um instante depois a pessoa se recompunha. Uns tinham de se recuperar do horror, outros da compaixão, o que era sempre mais doloroso para mim. Só então me olhavam nos olhos, fixando-os sempre exageradamente, como se precisassem se obrigar a não inspecionar mais a devastação. Assim fui cumprimentada por anos a fio. Eu quase já não me recordava de outra forma de aproximação e, desde muito tempo, não tinha consciência de que me machucavam.

Na Holanda era diferente. É um país pequeno com população grande, no qual as pessoas vivem muito próximas umas das outras, meio amontoadas. Para não desaparecer na multidão, cada um se distingue como pode do vizinho. Valoriza-se muito a individualidade; por isso, justamente, as diferenças são realçadas e não polidamente encobertas, e ainda mais quando se trata de estrangeiros e recém-chegados. As peculiaridades alheias contribuem demais para moderar a imagem de perfeição que alguém tenha de si próprio. Tolera-se que o outro seja diferente, com a condição de que tudo esteja às claras. Minhas cicatrizes, nesse sentido, foram uma bênção. Eles as apontavam e as discutiam sem cerimônia, não apenas entre si, mas também comigo. Solícitas, pessoas que me eram totalmente desconhecidas e que eu encontrava pela primeira vez faziam-me perguntas de caráter pessoal, sobre a causa da minha deformidade e sobre minha tristeza em relação a ela, como se certa dose de simpatia prática fosse moeda corrente do código de boas maneiras. Considerei esse pendor inquisitorial como parte integrante da famosa tolerância que atraíra tantos livre-pensadores ao país, mas confesso que ele me intimidava. Precisei de algum tempo para me acostumar à franqueza holandesa.

Custou-me também algum tempo perceber uma coisa que

os holandeses sabiam muito bem: que tolerância não é sinônimo de aceitação. Na verdade, o mais correto seria dizer que se trata de opostos, servindo a tolerância como um meio sutil de repressão. Aceitar uma pessoa como igual significa acolhê-la incondicionalmente, agora e para sempre. Mas tolerá-la significa sugerir, no mesmo fôlego, que ela na realidade é um incômodo, como uma dorzinha maçante ou um cheiro desagradável que se está disposto a relevar. Sob a tolerância, esconde-se a ameaça: o humor está sujeito a oscilações de um minuto a outro. Há mais: uma vez classificado, espera-se de cada indivíduo que permaneça bem-posto no seu devido lugar, com a etiqueta perfeitamente à vista, como as drogas nas prateleiras do boticário. Desconfio que seja este o verdadeiro motivo pelo qual os holandeses são fanáticos pelo individualismo: ele os ajuda a pôr ordem nas coisas, a enfileirar o que é estranho ou diferente em categorias comparáveis. É exatamente o que fazem, a título de diversão, com suas mulheres públicas e seus cavalos.

Havia outra conseqüência de tanta liberdade: todos se aferravam à sua vida privada. As pessoas se sentem mais ligadas quando submetidas a um regime rígido. Além disso, os habitantes de Amsterdã são naturalmente reservados; mesmo gente com quem eu mantinha conversas amigáveis durante os meus passeios diários nunca me convidava a casa. Em qualquer parte da Europa onde eu estivera, havia encontrado condições menos árduas na batalha cotidiana pelo pão. A era dourada da cidade havia passado. Havia mãos em quantidade superior aos empregos. Tinha esperança de me sustentar dando aulas, mas foi impossível obter colocação em alguma família rica, mesmo nos casos em que o meu francês era flagrantemente melhor do que o do patrão. Explicava que havia nascido numa grande propriedade rural e que minha mãe sabia exatamente o que era necessário para gerir um lar assim. Como resposta, ouvia que as casas ao longo dos canais eram modestas e que todas as posições já estavam preenchidas. Nem como dama de companhia ou camareira encontrei trabalho nas casas mais respeitáveis. De início, atribuí a rejeição à minha aparência, mas quando sugeri ser este o motivo, as pessoas se mostraram indignadas, afirmando que tal maneira de pensar lhes era estranha — não havia disso na Holanda. Ao contrário, a julgar pelas reações ofendidas, minha aparência talvez contasse a favor e não contra na busca de trabalho. De todo modo, e infelizmente, o fato era que toda vaga parecia ter sido recém-ocupada.

Em breve me vi forçada a desistir do confortável alojamento onde recebia meus visitantes no Oude Zijds. Fui viver no Oude Waal, com uma viúva que alugava um quarto com uma cama nos fundos da casa. Tentei depois ser aceita em uma das tantas lojas da cidade. Em vão. Por indicação de um comerciante, procurei uma fabriqueta que produzia imitações baratas das rendas de Gent. Passei um dia e meio ali, ouvindo no final que não servia para a função; tinha furado os dedos e as tiras que confeccionara apareceram manchadas de sangue. Em Pasiano eu havia aprendido muito pouco justamente dessas habilidades que se esperam das meninas, e, depois de ir embora de lá, aprendi menos ainda. Num estábulo da Kerkstraat, deixaram-me trabalhar três dias escovando cavalos, mas o proprietário mudou de idéia e acabou achando que a tarefa não era adequada a uma mulher. Visto que o trabalho braçal me agradava, tentei saber se não haveria nas proximidades alguma fazenda onde pudesse ajudar a cortar lenha ou caçar, como aprendera observando meu pai. Nada. O que havia nos arredores era água e pântano. Ofereci-me então como criada ou atendente em albergues. Aqui, pelo menos, diziam-me sem meias palavras que minha feiúra espantaria os hóspedes e estragaria o apetite deles. Foi um alívio. A sinceridade é tão mais gentil do que a compaixão... Encontrei por fim quem se dispusesse a pôr meu nome numa lista para me avisarem assim que chegasse uma grande frota ao porto e necessitassem de mulheres para destripar os peixes. Mas as redes continuaram vazias, e a vida era cara. Vendi por muito menos do que valia o *Dom Bougre* que fora do conde Antonio. Em sete semanas já havia consumido o dinheiro apurado e tive de me encaminhar à casa de penhores. Deixei ali o pingente que meu avô havia feito para mim, o pequeno espelho com os olhos de santa Lúcia. A quantia que recebi na troca era extremamente baixa e o prazo de pagamento, curto demais. Respirei fundo, beijei a recordação e jurei que não a deixaria escapar de mim.

Um homem me abordou na saída. Não sendo atitude usual nas cidades holandesas, me pus imediatamente na defensiva, embora se tratasse de um senhor de aparência respeitável. Disse-me que era cirurgião e demonstrou interesse em estudar minha fisionomia; gostaria de me apresentar aos seus alunos como exemplo de paciente de varíola. Dispunha-se a me pagar pela colaboração.

O teatro anatômico ainda estava às escuras quando entrei. Havia um cheiro penetrante de álcool e cânfora. No cômodo adjacente, onde eu havia tirado a parte de cima da roupa, deparei-me com imagens assustadoras de figuras inanimadas — esqueletos e carcaças de animais empalhados —, mas a perspectiva da recompensa me encorajou. Somente quando abriram as persianas superiores do prédio, uma antiga casa de pesagem, me dei conta de que estava no centro do anfiteatro. Contei ao meu redor duas dezenas de ouvintes. Eram todos cirurgiões aprendizes, membros da guilda, assim me foi assegurado, e interessados no corpo humano exclusivamente a título profissional. Com um tom afável, o professor me deixou mais à vontade e não fez nenhum gesto sem antes pedir minha permissão. No início resumia para mim tudo o que havia dito em latim. Depois que me acostumei com sua pronúncia, eu lhe disse, para surpresa geral, que compreendia o suficiente da língua para dispensar a tradução. Estavam estudando, em suma, a contração da pele e a diferença entre as partes do tecido que haviam sido corroídas e aquelas nas quais a varíola não estourara, cicatrizando sem se abrir. Examinando meu pescoço e meus ombros, o professor apontou os lugares em que a pústula havia supurado para dentro, destruindo a região subcutânea. Pediu-me que fizesse alguns movimentos que me eram de fato incômodos e atribuiu a dificuldade em executá-los ao endurecimento das cicatrizes no interior do músculo, peculiaridade que ele prometeu demonstrar mais tarde, num cadáver estendido na mesa de dissecação. Fiz o sinal-da-cruz em nome do pobre coitado que dali a pouco assumiria o meu lugar e tentei me distrair observando o ambiente, mas por toda parte o que havia eram esqueletos, membros amputados e fetos defeituosos conservados em vidros. Por todo lado, crânios e epígrafes lembravam nossa mortalidade.

A aula durou uma hora. Deram-me o dinheiro em seguida e me liberaram. Precisava apenas ir ao cômodo vizinho para me vestir, e era o que fazia quando o professor entrou. Peguei minha saia e cobri com ela a minha nudez. Ele voltou a me assegurar que era efetivamente um cirurgião — eu não devia me envergonhar. Vinha trazer-me uma tintura que, segundo disse, reduziria as marcas das cicatrizes na minha pele, fazendo com que as partes endurecidas se tornassem um pouco mais macias. Tinha boas intenções e eu lhe agradeci. Despejou uma pequena quantidade da substância na mão e a misturou com óleo.

Eu não era mais criança e sabia o que ele queria de mim. Seria mais bonito dizer que me confundi e hesitei, mas não creio que tenha sido assim. Permiti que esfregasse o óleo na minha pele e fizesse o que desejava. No momento em que suas mãos começaram a descer, não as retive. Ele me pegou em pé e me montou, agradecido como uma criança. Uma bolinha de cuspe brotou no canto dos seus lábios retorcidos. Sem querer, me veio a imagem do rosto ensangüentado do conde de Pasiano tantos anos antes, aquele homem perigoso vencido pela felicidade inocente do seu prazer. Deixei que o professor fizesse o que queria. Uma leoa, um cisne, um crocodilo e uma cobra empalhados foram testemunhas, ao lado da pele preparada de um criminoso desmembrado. A peça principal da sala era um esqueleto de elefante, cujas costelas sacudiam no ritmo dos nossos corpos.

Assim começou minha vida em Amsterdã. Saí da sala de anatomia sem arrependimento e com a sensação de ser uma mulher independente. Uma hora depois, havia recuperado o pingente na casa de penhores e ainda me sobrava dinheiro suficiente para uma semana. Resolvi não usar mais a minha jóia de tanto valor sentimental e a escondi entre meus pertences pessoais. O que estava à minha espera, eu não poderia realizar diante dos olhos de Lúcia.

Não vou dizer que não tenha chorado a perda da minha decência. Pois chorei. Às vezes amargamente, como se todo o peso da realidade me esmagasse. Nesses momentos, tomava consciência plena do tesouro do qual fora levada a me apartar. Era escolha minha, eu sabia, e sabia também que era irreversível. Imersa em tristeza, entretanto, buscava maneiras de fugir ao meu destino. Sonhava então febrilmente com meus pais, como se os visse em carne e osso diante de mim, e estendia as mãos como se os pudesse tocar. Às vezes falava com eles em voz alta, como se estivessem no meu quarto. Perguntava como se sentiam e se ainda me amavam depois da decepção que eu lhes causara. Eu os consolava e, principalmente, dizia que não deviam se preocupar, ainda que nunca recebessem notícias minhas. Essas crises não duravam muito. Eu logo voltava a me dar conta de que estava muito longe deles, isto é, supondo que fossem ambos vivos ainda. No resto do tempo, ficava em paz e sentia que, se o trabalho havia mudado a minha condição, deixara intacto o meu ser.

Tive um marinheiro que navegava para a marinha mercante. Tão logo seu barco atracava, vinha de novo provar da vida comigo. Um dia me contou como fora lançado ao mar pela vela bujarrona durante uma tormenta, na altura da costa da Guiné. Debatendo-se como um selvagem e morrendo de medo, gritou por socorro, mas ninguém o ouvia. Só os tubarões, cujas barbatanas começaram a formar círculos cada vez mais estreitos em volta dele. Quando ficou claro que haviam se inteirado de sua presença e o visavam diretamente como presa, o medo desapareceu, substituído pela idéia de que não havia mais salvação, de que atingira o destino final de sua jornada. De um momento para outro, foi tomado por uma tranqüilidade profunda, desconhecida. Parou de lutar e se entregou às ondas, como um homem se entrega ao colo de uma mulher. Em estado de beatitude. Nesse momento surgiu um bote, atrapalhando tudo. Seus companheiros de ofício conseguiram desviar o ataque dos tubarões, mas em seguida, quando lançaram uma corda para resgatar o náufrago, este sentiu quase uma decepção. Ultrapassara determinado ponto e não queria mais voltar. Só conseguiram içá-lo a bordo quando perdeu os sentidos.

Uma tranqüilidade semelhante me é familiar. É como um sentimento de misericórdia que se oculta sob a mais definitiva desesperança. É inimaginável por quem não a tenha experimentado. Enquanto a vida ainda oferece alguma solução, nossa mente continua a trabalhar a plena capacidade. Sentimo-nos responsáveis por nosso destino e queremos a melhor alternativa, mas tememos fazer a escolha errada. Mais que o resultado em si, o que nos desespera é a escolha. É a dúvida que nos inquieta. Apenas nas situações extremas, nas quais sentimos que nada mais pode ser alterado, é que desligamos o pensamento. Temos, finalmente, a coragem de confiar em nossa intuição — e esta não deixa espaço para hesitações. Entregamo-nos ao nosso primeiro impulso. Assim encontramos paz. Assim sobrevivemos.

Desta forma superei a maior de todas as humilhações. A vergonha era um arpão em minha pele. Se eu não o tocava, conseguia levá-lo comigo, indolor, mas bastava tentar arrancá-lo para que me ferisse novamente. Foi esse saber que amparou muitas das minhas decisões nos últimos anos. Afinal, não era a primeira vez que eu me via obrigada a aceitar que minha vida não transcorreria como eu a sonhara.

Nesse sentido, posso dizer que também aprendi com o meu marinheiro. Durante muito tempo ele quis se tornar capitão para assim decidir o próprio rumo, mas havia percebido, desde muito tempo, que isso nunca viria a acontecer. Seu trabalho era pesado. Arrebentava suas costas e deixava suas mãos em carne viva. Deixava-o doente e nostálgico. Mas isso não significava que a aventura não lhe trouxesse satisfação. Ao término de cada viagem, tornava a se alistar.

Voltei outras vezes ao teatro anatômico, mas o professor havia perdido o interesse em mim. Na última vez, deixei que me convencesse a servir de modelo, pelo mesmo honorário, ao lado da mesa de dissecação. Ocorreu-me que, se a signora Morandi suportava, eu também suportaria. Tratava-se de demonstrar a função dos músculos num corpo vivo, em correspondência com as partes que o professor cortava de um cadáver e erguia na mão. Ele apontava no meu abdômen a posição dos órgãos que ia desmembrando. Houve um momento em que depositou tecido morto sobre as minhas costas nuas, para demonstrar como certo músculo era na realidade muito curto e o quanto podia se estender a partir da base. Mantive-me digna e jurei a mim mesma nunca mais retornar àquele lugar.

Depois disso, fiz o possível para manter meu pequeno quarto, mas a viúva com quem eu morava não demorou a desconfiar. Ela havia proibido relações com homens em sua casa e me pôs na rua, ainda que eu lhe devesse dinheiro. As coisas se aceleraram a partir daí. Caí da cama para a palha e da palha para o chão.

Conto todas essas coisas não por supor que digam muito sobre mim. Meninas melhores do que eu tomaram esse caminho ou escolheram piores. O relato serve antes como esboço da época e das circunstâncias em que tive de lutar pela sobrevivência. Foram anos difíceis. A prosperidade da Holanda chegara ao fim e seu domínio dos mares havia passado a mãos inglesas. Em Amsterdã, havia milhares de mulheres como eu.

Minha vida nas ruas durou pouco e nunca cheguei a freqüentar a Kalverstraat, ponto de prostitutas baratas. No final da tarde, passando pelos depósitos de madeira da prefeitura, eu caminhava até um grande parque conhecido como Plantage e passeava por ali tranqüilamente. A aproximação com os clientes se dava através do olhar e a transação era concluída entre os arbustos; no inverno, também se buscava abrigo na estufa de laranjas, outro bom lugar. Conforme ditava a praxe, não se trocava uma só palavra. O silêncio era extremamente importante — crucial mesmo — para manter intacta a ilusão: permitia que o cliente se imaginasse um amante autêntico, a seu bel-prazer. Outra possibilidade eram os albergues por período fixo, embora em geral tivessem má reputação. Muitos homens tinham receio de ser vistos, e eu preferia estar ao ar livre, principalmente porque, em caso de clientes desagradáveis, encontrava assim algum consolo. Folhagens macias atraíam meu olhar a toda a volta e eu sentia contra a pele os ramos mais afiados. Os ruídos da natureza participavam do jogo. O movimento elástico de um ramo da árvore onde eu me apoiava. O contato com a aspereza dos troncos. Cheiros pesados e quentes de musgo, madeira e resina brotando do chão nas noites de verão, quando o frio da madrugada já fazia o orvalho aparecer. Ah, havia tantas coisas para desviar minha atenção do que estava realmente acontecendo... Meus pés afundavam sob o peso, lentamente, cada vez mais fundo dentro da terra. É a minha lembrança mais viva.

Chego a me surpreender que essas coisas não tenham criado em mim uma repugnância definitiva. É tentador dizer que o Plantage me transportava de volta aos anos felizes em Pasiano, onde a natureza havia sido o meu lar, onde preferia escolher meus amigos entre os animais, onde cavalgava os cavalos que corriam livres nos campos. Eu era destemida e desarmada, como são todas as crianças. Nada limitava minha felicidade; não existiam perigos em Pasiano. Não poderia dizer o mesmo do Plantage Amsterdamse; no breve período em que trabalhei ali, descobriram-se nos viveiros de plantas, entre as sementes, três cadáveres de mulheres, três prostitutas que, depois de usadas, tiveram a garganta cortada. A comparação com Pasiano, portanto, não se sustenta, ainda que a verdura daquele lugar de algum modo me ajudasse a suportar os atos mais infames. Não consegui nunca mais trancar a realidade do lado de fora. Mais tarde, trabalhando em casas de jogo ou quartinhos de fundo, o desamparo inevitavelmente se mostraria. Ali, contudo, entre urtigas e perfume de rosas, minha situação era tão estranha que se tornava irreal. Eu fazia a minha parte como se não tivesse consciência de mim. A única semelhança com Pasiano: não me recordo de limites.

* * *

Rapidamente fui recrutada por um cafetão, homem de fama terrível, um dos que mandavam na área e extorquiam dinheiro em troca de proteção contra eles próprios. Designou-me um ponto num bordel sob as torres de Haringpakker, perto do porto. Era um lugar de última categoria, freqüentado principalmente por tripulações das Índias Ocidentais. Todo dia atracavam barcos cujos homens não viam mulher fazia meses. Aos milhares, eles inundavam a cidade em hordas selvagens, com o soldo inteiro para gastar e enlouquecidos de desejo, prontos a violentar todas as mães e filhas se nós não estivéssemos ali para que descarregassem suas energias.

Era um trabalho duro e nojento. A maioria chegava sem se lavar e sem fazer a barba. Muito pior, na verdade: vinham com os sonhos mais bizarros, com as fantasias mais grotescas que um espírito solitário pode conceber durante o isolamento de uma viagem longa, e agora queriam concretizá-las. Assim foi que me vi vezes sem conta entre corpos emaranhados, como um condenado estirado na roda de tortura pelo chefe de polícia. Esses clientes tinham o bolso cheio, e o rufião exigia que o esvaziássemos o mais rápido possível. Negar era proibido; enganar, sim, isso se podia fazer. Tornei-me hábil. Primeiro embebedava meu cliente para depois, se ele ainda estivesse em condições de fazer algo mais, tentava simular o ato desejado sem realmente executá-lo. Aqueles tolos em geral estavam tão bêbados, que não sentiam quase nada além das manipulações. (Foi nesse comércio bruto que certo dia reconheci o "conde de Saint Germain"; o antigo colega de Jesus Cristo fora forçado a fugir de Paris e queria abrir uma fábrica de porcelana em Weesp, plano que teve de reconsiderar depois que sua prodigalidade como meu cliente encolheu sua fortuna.)

Permaneci nesse emprego até me livrar do meu cafetão, pagando-lhe tudo o que desejava — e, depois dessa experiência, as casas de jogo, onde trabalhei por conta própria, foram um alívio. Agora a escolha era livre e não havia necessidade de fazer nada a contragosto. Obviamente, dada a minha aparência, eu não podia esperar a melhor das clientelas, mas em geral os homens menos exigentes são bons cidadãos, tementes a Deus. A maioria não vinha comprar amor por necessidade, mas como um luxo, como forma de refinamento, o que nos valorizava ainda mais. E, quando uma pessoa se sente valorizada, dá mais crédito a si própria. Passei a me vestir com mais apuro, a cuidar mais de mim. Comecei a comer melhor e fui ficando mais cheia, com curvas que, por sua vez, atraíam clientes melhores. Enquanto isso, ia aperfeiçoando minhas habilidades. Parte significativa das artes que eu punha em prática derivava da história de *Dom Bougre, porteiro de Chartreux*, livro que eu carregara comigo por tanto tempo e cujas ilustrações conhecia de memória, como à palma da mão. Com freqüência crescente, mostrava-me capaz de satisfazer os homens antes que efetivassem o ato sexual, de modo que iam embora contentes e me deixavam intacta para trás.

Nessas casas melhores, vendia-se uma tal "camisinha", invenção médica bastante conhecida entre cirurgiões e que até então eu só tinha visto em uso pelo professor de anatomia. Eram fabricadas de intestino de gato ou bezerro e ofereciam proteção contra contágio. A madame da casa fazia questão de que fossem usadas. Era uma garantia de que as meninas se manteriam saudáveis, além de evitar que aparecessem grávidas e ficassem sem trabalho. Muitos homens se opunham, relutantes, incapazes de perceber que uma mulher, ao utilizar tal meio, tornava-se justamente mais higiênica. Imaginavam, ao contrário, que a insistência só se justificaria se ela já tivesse sido contaminada. Típica lógica masculina. Por isso, era importantíssimo excitar os homens até determinado ponto e, então, introduzir a camisinha naquele preciso momento em que aceitariam pôr qualquer coisa, até um chapéu de burro, para não interromper o prazer.

Um dia, quando ia saindo de uma dessas casas, a Hospedaria dos Cavalheiros, fui abordada por um senhor. Nunca o vira antes. Não era um cliente. Minha reação imediata foi de desconfiança, mas ele garantiu que queria apenas conversar comigo. Ali do lado havia um café, estabelecimento respeitável e inocente onde passamos mais de duas horas muito agradáveis. Era um erudito e falava sobre livros e filosofia, interesses que eu não havia podido dividir com ninguém desde que chegara a Amsterdã. (Não que a cidade fosse desprovida de refinamentos, mas digamos que as pessoas do meu círculo de relações não eram dadas ao cultivo da vida do espírito.) Em meio à conversa, ele se levantou, pediu desculpas e perguntou se poderia voltar a me encontrar. Homem com vivência do mundo, pagou-me sem perguntar o preço e desapareceu sem dizer seu nome, omissão que me entristeceu de maneira inesperada.

Duas semanas depois, lá estava ele de novo, agora no início da noite, justamente quando eu ia entrando na hospedaria. Perguntou-me se gostaria de acompanhá-lo no jantar. Recusei, pois precisava ganhar o dia, mas ele prometeu que eu não me arrependeria se aceitasse o convite. O jantar foi elegante e nossa conversa outra vez teve brilho. No final da noite, ele, muito timidamente, quase envergonhado, entregou-me um pequeno embrulho. Continha um livrinho ao qual havia se referido da primeira vez, um tratado encantador sobre os jardins da imaginação. Uma das gravuras que o ilustravam mostrava um jardim em plena florescência sufocado por ervas daninhas. Ele o comprara especialmente para mim, e eu me emocionei. Não sei explicar por que, mas as lágrimas me vieram em profusão, depois de muito tempo. Era absurdo que eu já tivesse suportado de olhos secos tantos horrores naquela cidade e que agora um pequeno agrado me abalasse tão profundamente. Temi que minha emoção fosse mal compreendida, mas nem assim consegui me recompor.

"Quando alguém se comove a esse ponto", ele disse, arriscando uma interpretação, "pode significar que foi flagrado numa solidão insuspeita." Ao partir, deixou-me não apenas o presente, mas também, como prometera, uma bela quantia em dinheiro, assim como um cartão com seu nome, Texeira, e o número de uma casa no novo canal dos Senhores.

"Se estiver disposta a ir até lá, será bem recebida."

Naquele endereço o zelador me levou a um pequeno apartamento no segundo andar, mobiliado confortavelmente. Mudei para lá no dia seguinte. Meu benfeitor me visitava algumas vezes por semana e, em troca da companhia, arcava com todas as minhas despesas. Permitindo-me ser sustentada por ele, pude dar as costas à antiga vida em casas públicas e ainda poupar um pouco de dinheiro. Sentia um otimismo cauteloso, voltava a ter esperança de que retomaria um bom rumo. As noites com Texeira não tinham nada do esplendor que eu havia conhecido em Bolonha ou em Vincennes, mas nossas conversas reacenderam meu ânimo e a curiosidade que estivera adormecida em mim sem eu perceber.

Lembro-me de como antigamente, no período da doença, meu corpo febril cessou todas as funções não diretamente essenciais à sobrevivência. Só quando comecei a me recuperar pude perceber que me abandonara sobre a cama, viva mas inanimada — e assim também reagira minha alma no período de prostituição: sem alimento e sabendo-se ameaçada, ela se trancafiara, se exilara de todo brilho, de todo *esprit*. Graças a Texeira, agora eu percebia que o humor e a inteligência tinham de ser despertados do seu sono de inverno. Sonolentas, idéias e convicções saíam de seu esconderijo. Espreguiçavam-se e olhavam ao redor, surpresas de ver que a vida parecia recomeçar. Eu aguardava ansiosa as visitas de Texeira, desfrutando a espera em feliz expectativa.

Teve curta duração, a felicidade.

No apartamento de baixo morava uma moça, a jovem Danae. Foi assim que a conheci. Era sustentada por um amigo de Texeira. Tratávamo-nos com cordialidade, mas cada uma seguia a própria vida. Uma vez, Texeira propôs que o amigo a levasse para cear conosco, mas a noite não foi um grande sucesso. A menina era assustadiça e não se sentia à vontade em nenhum lugar público por muito tempo. Mostrou-se nervosa durante toda a refeição, vigiando sempre ao redor e se sobressaltando a cada vez que alguém entrava no local. Imaginando que o amigo de Texeira a deixava de algum modo aterrorizada, no dia seguinte procurei-a para falar sobre o assunto. Contei-lhe sobre a despreocupação da minha nova vida e perguntei, talvez imprudentemente, o que havia de errado com a dela.

"Não é nada", respondeu, "meu protetor é bom para mim, não há alma mais gentil no mundo. Só que... Bem, existe aquele problema. O mesmo do senhor Texeira, claro." Disse-o de maneira oblíqua, e eu, para não me mostrar ignorante e em desvantagem, não quis pedir esclarecimentos sobre um assunto que aparentemente dispensava maiores explicações. Deixei que prosseguisse, esperando captar alguma pista, mas a conversa já chegava ao fim e eu continuava às escuras. Assim, antes de subir as escadas, criei coragem para estimulá-la a ser mais direta. Danae me olhou não sem surpresa.

"Bem, você sabe...", ela disse. "Eles nunca vão deixar de ser judeus."

Três dias depois, quando eu dormia com a cabeça apoiada no peito de Texeira, rebentaram a porta do apartamento a machadadas. Fomos arrancados da cama, algemados brutalmente, empurrados escada abaixo e atirados numa carroça que esperava na rua. Danae e seu amante já estavam ali dentro. Os espectadores da cena cuspiram, vaiaram e zombaram como se fôssemos ciganos. Fomos levados para a prisão, onde esperamos uma semana e meia pelo processo, cobertos apenas com os lençóis que, na correria, havíamos conseguido puxar da cama.

Contato sexual entre judeus e cristãos parece ser estritamente proibido por lei em Amsterdã. Além da liberdade de praticar a religião e do direito de moradia, não se concede nenhum outro privilégio aos judeus. Justamente porque em geral são pessoas com recursos financeiros e têm condições de pagar pesadas multas, acabam sendo objeto de perseguição fanática. Tudo isso me passara despercebido até o momento em que Danae chamou minha atenção, e confesso que tive enorme dificuldade em acreditar. Não os via freqüentar os bordéis, é verdade, mas nunca me ocorrera que essa ausência se relacionasse a alguma imposição legal. Ao contrário, sempre tinha ouvido dizer que, entre as muitas formas de tolerância que distinguiam a Holanda, estava a grande hospitalidade com que acolhia os judeus. O fato é que eu não compreendia como, a essa altura, as pessoas podiam ser tão parciais em relação àquele povo. Fiquei me perguntando se monsieur Voltaire e monsieur Descartes, quando louvavam a liberdade holandesa, estavam perfeitamente a par dessas contradições.

Passei dois anos na casa de fiar. A disciplina era dura; o convívio entre as mulheres, cruel. Dentro das celas, lutava-se por tudo e qualquer coisa — uma enxerga, um pedaço de pão, uma camisa, uma agulha ou o direito de ficar mais perto de uma janela aberta nos dias de calor. As desavenças eram resolvidas com brigas corpo a corpo e, às vezes, também com pente ou tesoura. Mas isso não era nada se comparado ao que se passava no ático, onde éramos forçadas a ficar permanentemente em exibição. O comportamento dos espectadores pagantes me ensinou mais sobre a alma humana do que qualquer filósofo jamais escolheria saber. Basta dizer que a menor anormalidade física incitava neles a sede de sangue. Uma única prisioneira tomou o meu partido naqueles anos. Era uma velha rude, condenada a penas longuíssimas por venda de almas. Para cometer seus crimes, agia da seguinte maneira: ela seduzia o marinheiro e o fazia endividar-se, para em seguida, como quitação da dívida, exigir que ele assinasse uma carta de alistamento; com isso, tornava-se proprietária de sua vida e a revendia então à Companhia das Índias Orientais ou a algum concorrente. Estava, portanto, muito acostumada a lidar com marinheiros; se por compaixão em relação a mim ou por ressentimento em relação a eles, não saberia dizer, mas quando o comportamento dos visitantes do ático se tornava especialmente abusivo, ela me defendia como se fosse um homem. Normalmente taciturna e sombria a respeito da própria sorte, quando enfim me liberaram foi a única que se levantou e veio me abraçar em despedida.

Nunca mais a vi e não fazia idéia de sua grave doença. Quando voltei à casa de fiar como visitante, na companhia de Jamieson, e ela agarrou meu braço, mal a reconheci, apesar da fixidez enlouquecida com que me olhou. Seu rosto fora devorado pelos cancros da sífilis.

Texeira conseguiu comprar sua liberdade e mudou-se para Haia. Envergonhava-se tanto do sofrimento que me fizera passar que não veio mais me ver, o que não me desagradou; hoje recordo com simpatia sua difícil situação, mas naquele momento ainda estava furiosa e o teria o recriminado asperamente. Ofereceu-me uma mesada que as circunstâncias não me permitiram recusar. Com ela, pude alugar um quarto no Rusland e um pequeno apartamento para Danae, cujo amante se mostrou menos responsável. Ela retomou o antigo trabalho e me pagava uma porcentagem de seus lucros para viver ali. Algum tempo depois, trouxe Giovanna para sua casa, sob as mesmas condições. Era uma amiga dela de Parma, que para atrair clientes se dizia filha de um nobre veneziano, mentira na qual só um cego sem olfato poderia acreditar.

Eu mesma não consegui me obrigar àquele tipo de existência novamente. Precisava de tempo para me recuperar. Mesmo sair de casa e misturar-me às pessoas era um esforço. Não pude mais demonstrar respeito pela franqueza holandesa. Os olhares sem-cerimônia me feriam mais do que antigamente. Se alguém me cumprimentava e olhava primeiro as cicatrizes, eu me encolhia toda, como se a qualquer instante os xingamentos da casa de correção fossem recomeçar. A gentileza com que as pessoas me tratavam em seguida, tentando disfarçar o susto inicial, causava em mim uma dor penetrante, e a dor me tornava desagradável. Mesmo quando bem-intencionadas, eu as punia com uma língua afiada e venenosa. Quando as via empalidecer, sentia-me enojada de mim mesma, do tipo de mulher em que eu me transformara. Durante anos a minha deformidade havia permanecido do lado de fora; a amargura a fez pouco a pouco penetrar-me inteira e ela afinal se infiltrou em cada recanto do meu ser. Temia por minha alma e não via salvação além de esconder do mundo a mácula que me tornava diferente, tal como um dia o havia feito em Veneza, fazia tanto tempo. Sem suspeitar que transformaria a minha fraqueza na minha maior força, decidi que dali em diante usaria um véu.

Esta é a minha vida. Foi assim que aconteceu. Contando o passado, amarro-me ao presente. Naturalmente, hesitei se deveria narrar esses eventos sórdidos. Teria preferido fingir que tudo foi mais bonito. Ou melhor, teria preferido permanecer em silêncio. Mas prossigo. Escarafunchar minha vida é pesadíssimo e eu não teria sequer começado se não tivesse este único e firme propósito: tornar racionalmente compreensível a decisão que tomei. Vou relatá-la a seguir. Não devo esconder nada, ainda que contar a verdade dissipe a eventual simpatia por mim. Se posso merecer alguma compaixão, que seja agora. Se o caminho perturba e desgosta, imagine para onde ele o leva.

3.

Giacomo está sentado ao meu lado no teatro de Amsterdã.

Parece que o destino se diverte, declama a atriz no palco, *em me separar dos que me amam.*

Ele não poderia estar mais próximo de mim. A casa está lotada, estamos todos apertados. Quando seu tórax se expande, tocamo-nos de leve. Por instantes respiramos no mesmo ritmo, como duas pessoas que passaram a vida inteira juntas. Como se em uma daquelas manhãs, em Pasiano, eu tivesse subido em sua cama e nunca mais tivesse saído de lá.

De repente ele escapa de mim. Cai na gargalhada. O público se delicia com uma das piadas da farsa. Não consigo me concentrar. Ele se vira para mim, em cumplicidade maliciosa. Comecei a rir com gosto, mesmo que não soubesse do quê. Nosso ritmo é perturbado. A risada expulsa todo o ar para fora de seu pulmão. Seus ombros se sacodem. Ele retoma o fôlego com algumas inspirações curtas. Mais um riso engasgado, mas em seguida estamos no mesmo ritmo de novo. Para dentro e para fora. Suas costelas contra as minhas. Para fora. Para dentro. Tenho a impressão de sentir seu coração batendo, ou será o meu?

Onde você nasceu, Fátima?, pergunta a atriz com olhos arregalados de surpresa. *Perder um homem e se desmanchar em lágrimas! Isso é moda neste país?*

Estive agitada o dia inteiro. Arrependi-me de minha impetuosidade e desejei nunca ter feito o desafio a Giacomo. Uma aposta com o amor como prêmio! Como pude imaginar que seria capaz de manter um blefe como esse na presença dele? O passeio à casa de fiar dois dias antes havia mexido com os meus nervos. Meu passado fora trazido à tona num momento em que meu futuro se tornara mais incerto do que nunca. A última coisa de que precisava era me deixar confundir ainda mais. Só Deus sabe a perversidade da aventura em que me lançara com minhas palavras, pois na verdade eu não tinha nenhum plano.

Menos de uma hora antes de sair de casa, cogitei a possibilidade de cancelar tudo. Já havia posto o meu melhor vestido e o meu novo véu de uma fina gaze indiana, quando entrei em pânico. Fui tomada por um ímpeto de escapar da provação, não menos intenso que o desespero de fugir da vendedora de almas na casa de fiar. Incapaz de uma decisão intuitiva, resolvi encarar o caso racionalmente. O que eu queria? O que podia fazer? Via quatro possibilidades.

1. Minha preferência seria apagar os anos perdidos e retomar o fio da meada no ponto em que eu mesma — forçada pelas circunstâncias — o havia interrompido. Tão logo elaborei esse pensamento, descartei-o por infundado. Ele fora transformado irrevogavelmente pelo meu desaparecimento, e eu, pela vida. A Lucia e o Giacomo de Pasiano não existiam mais; assassinados em sua ingenuidade tiveram seus nomes usurpados.

2. Mais realista: poderia aceitar as coisas como eram. Jogar abertamente, contar-lhe tudo o que sabia e o que ele nem podia suspeitar. Nesse caso, seria obrigada a revelar minha identidade ao meu antigo amor. Poderia então lhe explicar o que eu havia planejado com a minha aparente traição, revelando o lamentável infortúnio decorrente do plano concebido em consideração a ele. E pedir desculpas pelo fracasso tão grotesco. Mas isso o transformaria? O cavalheiro se entrincheirara tão confortavelmente atrás de suas convicções e de seus divertimentos, que poderia revelar um coração ainda mais endurecido por um desprezo revigorado. Ele construiu sua vida inteira com base nisso. Será que ainda conseguiria ou estaria disposto a rever sua opinião sobre Lucia, sobre mim, e fazer justiça? No pior dos casos, eu seria obrigada a lhe mostrar a razão de minha partida, justamente aquilo de que tentei poupá-lo: a visão do meu rosto. Poderia erguer o véu e me lançar a seus pés. Então duas coisas poderiam acontecer: ele me abominaria, o que significaria minha morte; ou compreenderia tudo, superaria a aversão inicial e seria arrebatado por um sentimento de compaixão — opção pior do que a morte.

3. Calar-me e deixá-lo na ilusão de que Galathée de Pompignac não tinha nenhuma relação com a sua Lucia. Então estaríamos no jogo do amor em pé de igualdade por uma segunda vez, agora como dois adultos que tateiam um ao outro. Isso me daria a oportunidade de vir a conhecer seu verdadeiro coração na intimidade. Poderia estudá-lo e examiná-lo sem impedimentos. Quem sabe talvez até pudesse se apaixonar mais uma vez por mim, pela mulher que eu me tornara. E ele também poderia me conquistar. Mas e daí? Como deveríamos continuar? Nunca mais poderia lhe revelar minha verdadeira identidade. Viver para sempre sob esse ardil, à sombra da memória, eternamente maculada, de Lucia? Ele jamais me perdoaria por uma traição como essa. Eu seria então forçada a desaparecer outra vez e fazê-lo se sentir enganado de novo.

Seria para sempre Galathée de Pompignac, mais uma mulher numa lista de impostoras, e seu desprezo por Lucia permaneceria intacto.

4. Fugir pela segunda vez? Deixá-lo ir ao teatro e simplesmente não aparecer? Isso o ofenderia mais do que me agradaria. Ele nunca viria a saber quem eu realmente era, e Galathée teria o desprezo que ele considera merecido a todas as mulheres. Partiria com a mesma imagem que guardava de sua Lucia. Tudo ficaria como antes, ele relataria mais uma vez à sua mais nova conquista o lamento daquele primeiro amor, que o enganara tão maldosamente, apenas para em seguida, abraçados como pombinhos apaixonados, rirem e se divertirem com a traição de uma camareira italiana.

Como que paralisada, lá estava eu, sentada diante do espelho com as minhas roupas mais refinadas. Estava na hora de sair para o encontro. No entanto, entre todos os prejuízos de minha empreitada, os previsíveis e os imprevisíveis, não conseguia encontrar nenhum possível ganho senão, é claro, passar algumas poucas horas na companhia de Giacomo. Amaldiçoei a carta em que me exibia antecipadamente como vencedora desse *affaire*, já que o oposto se apresentava mais provável. Só a magia poderia me salvar agora.

Nesse momento, lembrei-me de que Zélide me aconselhara a nunca refletir sobre decisões importantes: em caso de dúvida, recolha-se em silêncio, feche os olhos e inspire profundamente algumas vezes. Faça então a primeira coisa que lhe vier à mente. "A razão", ela dissera, "oferece-nos muitas possibilidades ao mesmo tempo. A intuição é infalível, escolhe a melhor de todas."

Fechei os olhos.

Uma pessoa só consegue desejar uma coisa de cada vez.

Ter Giacomo ao meu lado e me concentrar na apresentação é exigir demais. Estamos ambos com o olhar voltado para o palco, porém meus pensamentos quase não se fixam na peça. Nesse momento em que estamos lado a lado, em silêncio, desfruto sua presença como se fosse uma proximidade trivial. Sua respiração acelera, seu torso se retesa. Ele se move ligeiramente e se inclina em minha direção, passa o braço em torno dos meus ombros e com um gesto delicado me pressiona contra si.

"Vê agora", sussurra, "de onde se originam os mal-entendidos?"

Sussurro em concordância, onisciente e misteriosa como uma esfinge, mas sem compreender o significado daquela frase. A ponta de seu nariz toca por um breve instante o meu lóbulo, e tento concentrar-me na farsa. Ele vai querer falar sobre ela, e não posso me expor indefesa. Graças a Deus, volta a se sentar ereto e não me dirige mais perguntas.

No palco há uma mulher com um véu.

Existe alguma confusão sobre a sua identidade.

Lanço a Giacomo um olhar de soslaio. É evidente que ele já conhece a peça, não a escolheu por acaso.

A história se passa na Turquia, no palácio de um mufti que se apaixona outra vez por uma mulher que antes havia repudiado.

Meu coração acelera. Com inspirações e expirações curtas e apressadas, minhas costelas destoam do ritmo sereno de Giacomo.

Segundo as leis de Maomé, o mufti só pode aceitá-la de novo caso ela antes se case com outro homem. O imã planeja uma solução, e para isso contrata um italiano, Arlequim, que receberá dinheiro para se casar com Zaide naquela mesma noite, apenas para, em seguida, rejeitá-la sem ter encostado um só dedo nela. Com isso o mufti estará livre para fazer dela sua esposa mais uma vez. Zaide não sabe, porém esse Arlequim é justamente o desconhecido que a salvara de um afogamento e o homem que conquistara seu eterno amor. Na noite de núpcias, os dois amantes compartilham o mesmo quarto, sem desconfiar de nada, completamente vestidos. Sentados lado a lado, ele no escuro, ela coberta pelo véu, os dois esperam entediados a manhã, perfeitamente ignorantes de como estão próximos da felicidade.

A platéia interrompe o riso e prende a respiração.

A peça termina com um balé e uma canção entoada por uma mulher turca.

Oh, amantes, não temam obstáculos,
Sejam perseverantes em seu coração!
Os que amam haverão de triunfar,
Pois o amor, por vocês, faz milagres!

"Sou um discípulo do momento", anuncia Giacomo.

Acomodamo-nos numa *chambre separée* no albergue municipal. A porta e as paredes do pequeno quarto octogonal se escondem atrás de cortinas de mosqueta, de um tom profundo de azul. Na penumbra, um divã com almofadas em tons de laranja nos atrai irresistivelmente. Não é minha primeira visita ao lugar, mas não dou nenhum sinal de familiaridade. A última vez que vim aqui, para uma ceia, fui servida como sobremesa ao cavalheiro.

Giacomo continua a troçar da estupidez do mufti, que se empenhou tanto apenas para possuir uma mulher.

"Contratos para unir duas pessoas seriam até uma idéia interessante, se a vida fosse imutável. Mas ela nos surpreende a cada minuto. 'Improvisem', ela ordena, 'façam prelúdios, criem variações!' Precisamos estar prontos para alterar o curso a qualquer momento, não concorda? Fidelidade eterna é uma promessa que só pode ser realizada por loucos ou por freiras enclausuradas numa cela."

Alguém bate à porta. Os criados entram. Giacomo faz uma mesura e dá instruções com plena desenvoltura. Não faz o mínimo esforço para dissimular que esse tipo de *rendez-vous* lhe é bastante familiar. Estranhamente, seu comportamento me causa desconforto. Prefiro vê-lo em silêncio, mas ao meu lado, a tê-lo sentado conversando diante de mim. Irrito-me com seu sangue-frio de homem do mundo, experimentado. Quem sabe me aborreça ele ser de fato um homem do mundo. Do mundo, e poderia ter sido só meu. O mundo o roubou de mim. Posso recriminá-lo por isso?

"Contudo, até você, há muito tempo, quis se casar", repliquei tão logo nos encontramos sozinhos de novo.

"Eu?" Ele parece genuinamente surpreso. "E quando isso teria ocorrido?"

Tive vontade de agredi-lo e encerrar a farsa, mas me obrigo a continuar desempenhando o papel de quem ele pensa que sou.

"Sem dúvida, deve ter sido um momento de fraqueza indescritível", respondo, "mas ainda assim... Você mesmo me contou. Sua primeira amada, em algum lugar nas proximidades de Veneza? Mais do que isso, ficou decepcionado quando soube que a festa havia sido cancelada."

"Ah, aquilo? Eu não passava de uma criança."

"Foi uma lição muito dura, que você parece ter aprendido bem."

"Aprendi a não deixar que meu coração jamais volte a ser capturado por outra pessoa."

"Então talvez aquela ingrata ainda o mantenha como refém?"

"Ninguém jamais me amou mais do que ela. Mesmo assim, isso não a impediu de me trair sem nenhuma hesitação ou arrependimento."

"É impossível ter tanta certeza disso."

"É verdade. Porém, até o dia em que eu vier a saber por que

minha fidelidade não mereceu sorte melhor naquela ocasião, não voltarei a unir minha vida a nenhuma pessoa."

"Então desde aquela época não foi fiel a mais ninguém?"

"Ao contrário, tenho sido sempre fiel a todas, a cada novo amor, sem exceção."

"Mas nunca para a vida toda..."

"Você continua a insistir na mesma tecla, de forma que começo a temer que me enganei. Com o desafio proposto por sua carta, deduzi que estivesse à procura de diversão, porém agora me parece que você é mais uma dessas mulheres cujo maior desejo é se comprometer para sempre."

"De forma alguma, meu caro." Agora consegui imitar seu tom de voz com um desdém levemente provocativo. "O que faz o casamento senão transformar homens talentosos em simples maridos e mulheres brilhantes em suas escravas?"

Uma galinha-da-índia foi servida. O criado afia as facas, crava-as sobre a carne e parte a ave em filés, com cortes precisos e profundos.

"Estou interessada, meu caro chevalier, em vencer a aposta. Creio que você não se recusaria a me revelar um pouco mais do inventário de sua *ars amoris* passada e presente, para que eu possa elaborar minha estratégia."

"Nunca houve mudança, e ela não difere em nada do que pretendo voltar a fazer, o mais breve possível", diz em provocação. "Na ocasião apropriada eu lhe darei oportunidade de coletar todos os indícios e provas que deseje. Então, poderá elaborar seu arrazoado e fazer suas classificações sem restrição alguma."

"Você sempre tem tanta pressa?"

"Não me resta tanto tempo nesta cidade. Aguardam-me em Paris depois do Ano-Novo, para que eu apresente um relato dos progressos que obtive aqui." Ele me olha com ar insolente. "Espero que possa anunciar ter sido bem-sucedido em todas as áreas."

Em vez de lhe desejar boa sorte, eu o provoco um pouco mais.

"Terei imenso prazer em lhe oferecer apoio na medida em que eu também o receber. Peço-lhe, pois, que se submeta às minhas indagações. Se nunca decepcionou nenhuma mulher, conforme diz, então também não gerou grandes expectativas nas damas em questão."

Um sorriso presunçoso de descrédito toma conta do rosto dele.

"Se nenhuma de suas amantes lamentou vê-lo ir embora de sua vida, começo a suspeitar que só podem existir duas causas: nos braços delas, você se mostrou tão abominável que as mulheres se alegraram com a mera possibilidade de chegar ao fim e não repetir..."

"Tente adivinhar mais uma vez", disse, permanecendo calmo.

"...ou jamais foi desonesto e sempre se mostrou muito claro no que diz respeito aos seus desejos."

"Não menos claro do que você, em sua carta. Entretanto, devo dizer que em geral exponho as condições de modo muito mais gentil. Eu ainda tenho de conquistar as mulheres, mais sensíveis a palavras amorosas. Mesmo que o homem revele seu propósito, se o fizer com sutileza suficiente, a mulher ouvirá satisfeita exatamente o contrário do que ele disse. Convencê-la é questão de tempo. Você, contudo, só tem de convencer um homem, criatura que vem correndo a um mero assovio da mulher."

"O mundo é injusto", eu ri. "Vocês, homens, têm de se esforçar para obter algo que querem ansiosamente, enquanto nós somos capazes de obtê-lo sem nem sequer precisar pedir, ainda que seja o que menos desejamos."

"Você não faz justiça às suas irmãs. Conheci inúmeras mulheres que desejam o amor com tamanha avidez, que alguns homens quase não conseguem acompanhar."

"Nessa impetuosidade, decerto não notou que uma mulher extrai prazer da conquista, enquanto um homem quer apenas alcançar o mais rápido possível a vitória."

"Errado. Durante o planejamento de minha estratégia, obtenho satisfação igual à que desfruto ao conquistar meu prêmio."

"Então estamos um à altura do outro", eu disse, fazendo um brinde com as taças. "*Santé!*"

Durante a refeição, ele narra alguns fragmentos mais selvagens de suas aventuras. Estou mais atenta ao seu tom de voz do que às narrativas em si. É invariavelmente formal, como se estivéssemos conversando num salão onde os convidados tentam se superar uns aos outros numa competição de pilhérias. Não é isso que quero. Aguardo o que me parece uma eternidade até que sua dissimulação se amenize. Enquanto isso, tento recordar como soavam nossas conversas naquelas manhãs em que eu subia em sua cama com as ervas que colhera para o chá e ele me recriminava porque a terra entre as raízes caía nos lençóis.

Como percebeu que eu não o escuto inteiramente, passa a fazer perguntas sobre mim e minha vida. Sem dúvida, já deduzira que mostrar esse tipo de interesse surte efeito com as mulheres. Conto-lhe coisas que não podem ser associadas a Pasiano. Com o propósito de abalar sua altivez retórica, tento expor as narrativas com sentimento, em vez de procurar fazê-las brilhar pela argúcia. Isso nos aproxima um pouco, pois ele se sente encorajado a se mostrar mais pessoal.

"Nunca prometeu seu coração a ninguém?"

"Claro que sim", respondo. "Na verdade, eu me comprometi muito cedo, exatamente como você, naquela primeira vez."

"E seu coração ainda pertence a esse felizardo?"

Estamos na metade do segundo prato, uma torta de vitelo,

e eu me pergunto se conseguirei manter até o fim esse jogo de logro e ilusão.

"Nós nos perdemos de vista."

"Essa negligência é prova suficiente do que eu lhe disse. Você terá de concordar que uma pessoa às vezes se vê obrigada a render-se ao imprevisto, a adaptar suas expectativas no que diz respeito à fidelidade."

"Considerando de um ponto de vista prático, sim. A vida prossegue. Porém ainda me acalenta a inocência da primeira promessa, mais do que a própria vida. Mais do que tudo o que me foi dito ou provado depois. Nos momentos de mais profundo desespero, consola-me saber que um dia houve algo inquestionavelmente genuíno."

"Contudo, mesmo a mais genuína das promessas não pôde ser realizada."

"Isso não é importante!" Minha voz se altera. Tento fingir que me engasguei com algo da comida e bebo alguns goles de vinho, porém temo que meus gestos habituais possam me trair, como já haviam me denunciado ao irmão dele em Veneza. Mas Francesco era mais atento do que Giacomo, talvez mais sensível também. E tantos anos haviam se passado... Anos que causaram dano. Minha voz está mais grave, meus ombros caídos, meu corpo mais cheio do que naquela época. Não, enquanto eu mantiver o véu, não devo temer ser reconhecida. Mais calma, continuo. "Fazer uma promessa é tão legítimo e verdadeiro quanto mantê-la. É tudo o que tenho para me sustentar, veja: a crença de que ambos tínhamos a intenção de cumprir o que dizíamos."

"Então você teve mais motivo para a felicidade do que eu."

"E, no nosso estado de inocência, como poderíamos não ter sido genuínos?"

Dirijo-lhe a palavra de maneira tão direta e urgente que ele não tem coragem de me responder. Estou no meu limite, torna-se a cada momento mais difícil continuar a fingir que sou uma estranha para ele. É um alívio quando ele serve um pouco mais de vinho para mim e também para si e corta um pedaço de torta em seu prato enquanto parece refletir profundamente.

"Creio que jamais fui inocente. Sei que na juventude eu prezava alguns valores que aos poucos foram amesquinhados pela vida."

"Sinto muito."

"Por quê?", replica. "Você não é a culpada."

Tive de morder meu lábio. É impossível ele me ver através do véu, mas consegue adivinhar o gesto.

"Não há nada de dramático nisso, Gala."

O nome. Era a primeira vez que me chamava por aquele nome. Era suave e doce, vindo de sua boca. Mas ainda preferiria ouvir o outro.

"Decerto você não cultiva mais os mesmos desejos de quando era moça." Por um breve momento ele põe sua mão sobre a minha. "Tornar-se adulto é defrontar-se com a realidade."

Quero contestar, como ele esperaria de um adversário à altura, mas não consigo. Sinto-me tola. Com tudo o que já passei, teria feito tão pouco progresso? No propósito de vencê-lo usando métodos ardilosos, percebo que fui eu a seduzida pelos riscos traiçoeiros da memória. Meus desejos desta noite não diferem em nada daqueles de tanto tempo atrás? E também sinto inveja. Porque ele ressurge diante de mim. Quando parti de Pasiano, pensei estar deixando Giacomo para trás. Agora, parece que fui eu quem ficou para trás.

"Quando Marco Polo voltou da longa estada com o Grande Khan, narrou histórias sobre homens santos que tinham tanto respeito pela vida, que varriam o chão diante dos próprios pés com um ramo de árvore. Somente depois de assegurar que não pisariam em nenhum ser vivo, davam um passo à frente. Morriam sem ter feito mal a um só inseto, mas em toda a vida nunca chegavam a ir muito longe da própria casa."

"Talvez já estivessem onde queriam estar."

"Princípios sublimes são um excelente ponto de partida. Em nossa juventude, eles nos preservam de loucuras. Quem insiste em cultivá-los depois, estará detendo seu desenvolvimento. É impossível mantê-los e, ao mesmo tempo, participar da vida."

"E por isso devemos pisoteá-los."

"São destruídos no caminho. É inevitável. Um por um, como bravos soldados. Quem deseja evitar isso deve procurar abrigo num mosteiro, onde não machucará ninguém nem será machucado, e poderá assim continuar a acreditar até o fim de seus dias no que seus pais lhe disseram."

"Que coração sombrio!"

"Justamente o contrário. Meu coração é banhado pela luz da realidade. Repugna-me a escuridão da juventude, que não permite uma visão nítida da realidade."

"Então renuncia aos valores que teve na juventude, considerando-os agora sombras e espectros?", pergunto em tom inflamado. "E qual é o nome que se deve dar às tolas que se deixam seduzir por você com todo o coração e toda a alma? Elas também são imaginárias?" Minha frase soa indignada. Tenho consciência de que traí meu personagem. Ele me olha em silêncio, como se ouvisse o eco de minha ira e tentasse entendê-la.

"O momento em que uma pessoa se desfaz de suas ilusões é sempre doloroso", ele diz, mostrando compreensão, "mas sempre senti uma grande beleza nessa dor."

"Seja mais claro."

"Quando morre alguém a quem amamos, nós choramos, mas, simultaneamente, percebemos mais do que nunca que ainda estamos vivos, e decidimos dali em diante desfrutar de forma mais intensa o que nos resta desse milagre. É desse modo que a verdade nos oferece lições implacáveis, é desse modo que provoca nossos ideais. Lamentamos a perda e nos agarramos com mais força ainda ao que nos resta."

"E isso significa...?"

"Não tão nobre, porém mais seguro. Menos sublime, porém mais sensato. Deixamos nosso estado natural cada vez mais para trás e nos desenvolvemos de seres movidos pelo sentimento a seres movidos pela razão. É esta a beleza que me emociona na perda de uma ilusão: a dor é a prova de que demos mais um passo na trilha da razão."

"E o inseto sob os nossos pés, que desconhece algo mais elevado que sua própria natureza?"

Giacomo dá de ombros, em sinal de indiferença.

"Que pena!" Bate palmas de súbito, como se tivesse esmagado um minúsculo ser bem diante dos meus olhos. A batida interrompe meus pensamentos tão inesperadamente que, com o susto, dou quase um grito.

"Não me olhe com esse ar surpreso, *chère* Galathée. Você sabe exatamente do que estou falando, não é verdade? A vida a criou do mesmo modo, sem nenhum toque delicado, sempre com duras chicotadas."

Tremo. Tomando essa reação como um sinal, ele se levanta e passa o braço ao redor dos meus ombros. Deixo que prossiga.

Uma fração das velas já se queimou, o quarto está quase às escuras. Forço-me a sentir cada carinho conscientemente, com pouco sucesso. Havia imaginado esse momento por muitos anos, de mil maneiras diferentes, do mais rude ao mais solene. Agora que o estou vivendo, ele me parece mais irreal do que nos meus sonhos. Não consigo me entregar. Os lábios dele estão em meu pescoço. Gemo baixinho, como estou habituada a fazer por dever, mas não consigo sentir, não sinto que este seja realmente ele, que esta sou eu. A encenação que fazemos nesta noite com nossas identidades acaba por confundir meu corpo. Giacomo percebe, hesita por um instante e então prossegue gentilmente. Passa suas unhas sobre as minhas costas. Este é Giacomo, penso, *esta* mão, *este* corpo, pense bem, *este* é o exato momento que sempre lhe fez falta em sua vida! Você havia desistido da esperança de um dia ter *isto*... E agora? Ponho as mãos dele sobre os meus seios. Ergo um pouco o véu para que ele possa me beijar. Por um instante seus lábios são meus. Sinto sua respiração em minha garganta.

Ele então pára.

"Desculpe-me." Senta-se ereto. "É imperdoável, eu sei, mas não posso. Não posso. Não esta noite. Perdoe-me, pelo amor de Deus."

Procuro me levantar com o máximo de dignidade possível. Ajeito minhas roupas e murmuro algo frívolo, o que causa um efeito inverso. Ele esconde o rosto entre as mãos, buscando ar. Seu sofrimento é evidente. Agora sou eu quem o abraça, mas ele se esquiva e se levanta como se tentasse escapar de mim.

Penso. Não sei o que penso. Penso tudo ao mesmo tempo. Ele descobriu quem eu sou. Adivinhou tudo sobre a minha deformidade. Não estou à altura de suas outras amantes. Que Deus o proteja, mas talvez tenha ficado doente de repente. Eu me expus como uma prostituta e o repeli. Seu rosto à luz da última vela. Ele se inclina para a frente, mantendo uma mão sobre a mesa. Com a outra, serve-se de um copo de vinho e o bebe em grandes goles, como se tivesse de se recompor. Fico em pé ao lado dele, seguro-lhe a mão e a acaricio como se consolasse uma criança que caiu.

"Nossa conversa", diz depois de algum tempo, "permanece inquieta em minha mente. A senhora incitou meus pensamentos."

Peço desculpas, embora não tenha certeza do que possa ter feito para afligi-lo tanto.

"Impeliu-me a recordar uma época distante que eu pensava ter superado." Com a respiração descompassada, deixa-se cair em uma cadeira. Seu ar pretensioso se desvanece. Balança a cabeça de um lado para o outro, tomado de arrependimento. "Assim não pode ser. Você e eu. Não é justo. Não a estou iludindo quando digo que desejo me entregar por inteiro a você, de corpo e alma. Mas meus pensamentos me carregam deste aposento a um lugar em que não gostaria de estar. Sou obrigado a lhe confessar: não dispersei as sombras, os fantasmas do passado, da minha juventude."

Fico petrificada. Ele sabe de tudo!, digo a mim mesma. Mas tento me convencer de que seria impossível.

"Em outra ocasião, supondo que ainda serei gratificado com mais uma oportunidade de encontrá-la, Galathée, demonstrarei ser fiel à minha palavra, embora eu não mereça a sua indulgência ", diz com arrependimento. "Mas esta noite? Não, devo deixá-la."

Seguro o rosto dele entre as minhas mãos, sem saber se falo em tom de acusação ou piedade, e simplesmente pergunto: "Pelo amor de Deus, o que há de errado com você?".

"Nossa aposta. Meus pensamentos estão no passado. Você me fez hesitar. O que me pergunta, o modo como sugere certas coisas..." Ele volta a se soltar de mim, como se criasse coragem para dizer: "E se eu realmente magoei alguém?".

"Conforme seu relato, não há nenhuma evidência de que tenha tido tal intenção", sussurro para tranqüilizá-lo.

"Isso eu juro. Mas é apenas..." A emoção quase o sufoca. "Qualquer prova pode ser contestada. Imagine se aconteceu uma vez, que Deus me proteja, ou mais de uma vez até..."

"Então?"

Seria possível dizer que aquele grande homem estava a

ponto de chorar. A luz da vela se reflete na lágrima retida em seus olhos.

"Se não sei se magoei alguém no passado, quem me garante que não voltarei a fazê-lo?"

Não dizemos mais nada. Sei o que devo fazer. Fico diante de Giacomo e começo a me despir. Tiro tudo, com exceção do véu, e me posto diante dele. Seco suas lágrimas. Desabotôo suas calças e descubro que a preocupação se mostra bem menos retraída do que suas palavras fariam supor. Abraço e beijo Giacomo até que a natureza lhe dê novo vigor. Ele se lança sobre mim, mordendo e rosnando. Rolamos no chão como cachorros, em selvagem excitação. Um se deixa montar pelo outro, ciente de que em seguida estará o cavaleiro, com mais forças ainda. Não deixamos tempo para reflexão. A luta mantém nosso desejo em alerta. Meu amante tem de se segurar nos pés do divã para não cortar as costas no piso de madeira. Monto nele, alterno movimentos de galope e de trote, com um prazer autêntico que só experimentara nos cavalos de Pasiano. Seus olhos reviram de prazer, suas angústias foram esquecidas. Por um instante, sinto-me orgulhosa de ter sido a agente dessa libertação. E então a verdade me assalta.

Que ardilosa perversidade! Suas intenções se tornam transparentes. Um homem como ele, tão experiente no amor, conhece as estratégias mais sutis. Aprendeu a pensar como as mulheres que deseja conquistar. Esse conhecimento é sua arma — contra a qual não existe defesa. Não é óbvio que acaba de usá-la contra mim? Apesar de toda a minha experiência, ele a empregou sem esforço para talhar-me como à galinha-da-índia à mesa. Apenas para me lembrar da árdua tarefa à minha frente. Como um homem poderia conquistar uma mulher tão completamente para si, a não ser mostrando-se inesperadamente sensibilizado? Giacomo é tão refinado nesse jogo que sabe que o fogo de uma mulher pode brotar da compaixão. É evidente: fingindo estar em dúvida, ele deixou sua fragilidade transparecer e interrompeu uma conversa formal. Sua repentina angústia foi forjada para conquistar minha piedade — artimanha para incitar-me enternecendo meu coração, na esperança de que eu demonstrasse mais iniciativa, exatamente como estou fazendo agora, tola como sou.

Tudo isso me vem como um raio. Mas bloqueio o pensamento, da mesma maneira como aprendi a negar tudo o que não quero ver. É tarde demais para dar as costas ao desejo. Sinto os seus músculos se contrair entre as minhas coxas. Sinto a sua vida dentro da minha. Deixo-me ser tomada plenamente pelo prazer e, com excitação autêntica, cavalgo até o fim.

4.

Eu procurei distância. Quando decidi deixar cair um véu entre mim e o mundo, logo depois de ser libertada da casa de fiar, foi com a intenção de desaparecer. O primeiro véu que comprei era feito de um tecido de Gaza. A trama não era muito fina, mas o tecido era salpicado de joaninhas habilmente bordadas, que turvavam a visão do interior sem me impedir de ver o exterior. Enquanto em Veneza existe o costume de sair às ruas ostentando máscaras de todos os tipos, em Amsterdã isso era não usual. Damas nobres eventualmente portavam véus apenas para ir ao teatro ou durante um baile. Podia-se encontrar uma pessoa mascarada dentro de uma carruagem, mas jamais simplesmente caminhando pelas ruas ao longo dos canais.

Tive de reunir toda a minha coragem para dar os primeiros passos na rua. Ainda em casa, pus o véu diante do espelho umas cinco ou seis vezes, procurando imaginar a impressão que causaria em alguém que o visse pela primeira vez. Tentei adiar a saída ainda mais do que quando fui fazer ponto nas ruas pela primeira vez. Surpreendi-me ao descobrir que para mim era mais fácil andar pelas ruas como prostituta do que como dama. É necessário menos coragem para ficar nua do que para se cobrir, talvez porque, de certa forma, a segunda condição seja mais reveladora.

Fiz o primeiro passeio durante o crepúsculo, decidida a permanecer à sombra e próxima a minha casa. Fui notada imediatamente. Não era novidade, sempre chamei atenção. Meu novo traje não atraía mais olhares do que minhas cicatrizes, só que desta vez eles eram de outro gênero. Não havia nem repulsa nem o oposto, compaixão. Não houve menos pessoas que me olharam, porém o impacto em mim era menos profundo. Vi a expressão de estranheza no rosto delas, indagando a si mesmas o significado de minha aparição. A expressão perplexa de quem consente algumas excentricidades — e a Holanda tem as suas excentricidades —, mas não passava disso. Não me incomodava, pois eu estava realmente expondo algo notável. Quando se cutucavam, não me feria mais. Não sentia seus olhares como um julgamento. Essa descoberta me deu coragem. Decidi me aproximar de um estranho e lhe pedir orientação sobre o caminho, ainda que eu não estivesse nem a duas ruas de casa. O gentil senhor retirou o chapéu e, com calma, me indicou o trajeto. Em seguida, fiz um comentário qualquer a respeito do tempo. Iniciamos uma conversa e caminhamos lado a lado por alguns poucos minutos. Quando nossos caminhos se separaram, despedimo-nos em tom cordial. Fui tomada de uma felicidade tão intensa que dez minutos mais tarde mal conseguia recordar o que havia sido dito. Senti-me livre e realizada como nunca havia me sentido naquele país. Mais uma vez, um paradoxo, difícil de ser compreendido por quem nunca foi julgado e sentenciado ao primeiro olhar: tive a sensação de que finalmente poderia revelar quem eu era. Como se apenas minha personalidade ficasse visível, agora que meu rosto estava escondido. Ou devo dizer que eu só me considerava apresentável quando não podia ser vista?

"Ei, madame sebosa!", gritaram de repente. Meu coração se encolheu. Minha recém-criada confiança, tão frágil, rompeu-se ao primeiro ataque. Meu sangue corria rapidamente. Como já estava habituada, bastou um rápido olhar para vislumbrar todas as possíveis rotas de fuga e ter idéia de quem eram os meus adversários. Um grupo de garotos espigados. Vinham em minha direção, ombro a ombro. Um deles caminhava à frente do grupo, imitando o meu andar, para diversão dos outros. Mantive-me calma, calculando quais seriam minhas chances se eu corresse. Eles estavam embriagados, o que me dava vantagem, mas fugir, por outro lado, poderia excitá-los ainda mais e eles nunca deixariam a presa escapar.

"A última cabeça que vi numa rede de pescar como essa era de uma cavala!", caçoou um deles.

"Pois é", um outro completou, "o cheiro aqui também está mais para peixe."

Enquanto ele colhia os louros pela piada, ficou claro para mim que a zombaria era lançada contra os meus trajes, não contra mim mesma. Eles não viam o meu defeito. Se os rapazes tivessem encontrado outra mulher desacompanhada, seria ela a vítima. Decidi seguir caminhando, alerta mas determinada. Por um instante ameaçaram não me deixar passar, fazendo gestos de que iam me capturar e tirar minhas tripas, qual uma cavala. No entanto, como não recuei, como me mostrei firme e inflexível, a estratégia de guerra se extinguiu e eles foram obrigados a me deixar passar.

"Ei, Ceifeira, o enterro do barão é do outro lado!", um deles ainda gritou, e ressoaram outras palavras rudes, porém nada mais.

Se alguém tivesse me dito antes que a ridicularização pública podia ser curativa, eu não teria acreditado. E assim voltei para casa estranhamente fortalecida. Uma canção de triunfo ressoava dentro da minha cabeça. Até aquele dia, toda a lama lançada sobre mim desde que saíra de casa havia realmente me maculado. Eu dizia a mim mesma que aqueles xingamentos e olhares sarcásticos eram absurdos, mas isso não os tornava menos nocivos. Agora, pela primeira vez em todos aqueles anos, eu sentia que me mantivera essencialmente intacta. Pode parecer óbvio para quem não se envergonha do próprio corpo, mas para mim foi uma revelação: o julgamento alheio dizia respeito à minha aparência externa, e não à minha essência. Tentavam atingir minha alma, mas só encontravam minhas roupas. E estas, eu mesma as havia escolhido. Fora minha escolha exibir-me daquela forma — e o fino véu tornou-se uma armadura contra as crueldades atiradas contra mim.

O medo de me aventurar pelas ruas voltou a me assaltar na manhã seguinte, mas quando me senti preparada saí de cabeça erguida. Nas semanas posteriores, dei início a uma pequena coleção. Assim que ouvia a notícia de que um barco havia trazido tecidos finos do Oriente, ia até lá imediatamente, para ser a primeira a escolher entre as amostras no cais. Atrás da torre de Montelbaan, encontrei uma costureira que fazia os véus conforme minhas indicações. Criávamos juntas os padrões, e assim ela se tornou cada vez mais hábil em unir tramas densas e tecidos decorativos de forma a impedir a visão das cicatrizes, ao mesmo tempo em que as partes transparentes permitiam que a pele intacta continuasse visível e os olhos ficassem à mostra se assim me agradasse. Em um curto período, adquiri uma bela coleção de refinadas camuflagens. Eram notáveis. Elas, não eu. Compreendi que, quando se é diferente, é melhor deixar isso evidente. Não há nada que desperte mais atenção do que alguém que se curva e se retorce na esperança de se adaptar a algo que não lhe é natural.

O uso do véu também teve outro efeito inesperado — sobre a clientela. Os homens gostam de adivinhar. Preferem procurar a ter a certeza diante de si. Qualquer mulher sabe que deixar transparecer os bicos dos seios enrijecidos sob um corpete justo é mais sedutor do que deixar tudo à mostra. Assim, o véu era mais atraente do que o rosto mais belo, pois permitia aos homens imaginar o que mais lhes agradasse ou possibilitava, simplesmente, que se servissem daquele fantasma de uma luxúria inocente, de uma mulher sem rosto. Metade do trabalho está em sugerir; o restante, em postergar. Com essas duas habilidades, uma boa prostituta pode ser útil a nove entre dez clientes.

A sugestão criada pelo véu parecia irresistível. Suspeitava-se que um mistério se escondia sob ele, e a novidade se espalhou. Não passei uma noite sequer sem admiradores, e entre eles alguns das melhores posições sociais. Parecia que o mundo havia sido invertido: não precisava mais aguardar ser escolhida — a partir de agora, a escolha estava em minhas mãos. Eu os selecionava considerando a limpeza do corpo e a prosperidade financeira, bem como avaliando se não eram feios demais, o que tornou meu trabalho muito mais agradável. Por vezes até esqueci que estava naquele jogo por deplorável necessidade. O progresso era circular: como tinha mais prazer em meu trabalho, também os meus senhores se divertiam ainda mais. Subi o valor de minha tarifa, com certa cautela inicial, temerosa de que me excluíssem do mercado, mas logo passei a cobrar quantias exorbitantes, pois percebi que com isso a qualidade dos homens que eu recebia melhorava ainda mais.

Quanto mais inatingível o meu segredo, mais elevados eram os círculos sociais em que ele se tornava assunto. Seria ir longe demais dizer que eu havia criado uma moda, mas a verdade é que nessa época alguns dos melhores bordéis introduziram as "Salomés". Eram dançarinas que se apresentavam como orientais e cobriam o rosto com véus finos, na medida, justamente, em que havia interesse por temas similares. O engano que essas amadoras cometiam era, em troca de pagamento, retirar o véu. Erro que eu jamais cometeria, por mais que me implorassem. Cada novo amante se arriscava pelo menos uma vez em a fazer esse pedido; chegavam até a me oferecer altas quantias em troca de um breve olhar sobre o meu rosto. Quanto mais resoluta em minha recusa, maior e mais atrativo se tornava o meu mistério.

Não demorou para que eu atingisse um ponto em que podia me limitar a alguns clientes fixos, senhores de qualidade com quem me sentia à vontade. Jan Rijgerbos e Egbert Trip estavam entre eles, além de vários outros membros do Conselho Municipal. Estipulei uma noite por semana para cada um, de forma que aguardassem ansiosos e fizessem preparativos para que o encontro fosse especial. Sabiam da existência dos outros e todos se esforçavam por conquistar o posto de favorito. Para me garantir uma renda fixa e assegurar o aluguel, também estabelecia relacionamentos com visitantes esporádicos que não suportavam passar uma noite sequer solitários na cidade, como o enviado diplomático da Espanha e, antes que seus negócios o estabelecessem em Amsterdã por tempo indefinido, o comerciante Jamieson, bem de vida e sempre agradecido.

Foi assim que, através dessa profissão — ainda que a praticasse por vital necessidade e não por desejo! —, consegui uma feliz auto-suficiência. Pela primeira vez em muito tempo sentia-me dona da minha existência. Possuía tudo de que precisava para uma vida agradável — e até com certos luxos. E não era amante de um único homem, situação que nos impõe a condição de propriedade de outro, mesmo quando encontramos alguém gentil como o pobre Texeira. Agora podia me recusar a fazer algo se não estivesse com vontade. Eu mesma me sustentava, não precisava me submeter. Ao contrário, tudo o que eu realizava parecia fortalecer meu amor-próprio.

Somente agora, depois de ocultar o rosto e tomar as rédeas da minha vida, eu começava a perceber como me tornara dependente de todos. Dia após dia, mendigara a aceitação alheia. Com dor, lembrei-me da gratidão que sentia quando os homens se agradavam de mim, mesmo por aqueles dos quais, em situação normal, eu tentaria me desviar. Mais miserável me sentia quando um homem desse tipo, exalando a própria imundície, examinava-me inteira e, com desdém, passava à menina seguinte. Humilhações assim impeliam-me a redobrar o empenho, fazendo-me reduzir meu preço e baratear minha pessoa. Só agora, depois de uma mudança simples como mágica, eu me permitia ver até onde fora capaz de me rebaixar.

Poderia tentar enganar a mim mesma e dizer que foi o preço pago pela sobrevivência. Não seria verdade: a transmutação das circunstâncias com um único lance deixava isso claro. Posso me recordar de certos rostos e certos corpos diante dos quais morrer de fome teria sido redentor. Mas eu os aceitei, por nenhum outro motivo a não ser o fato de que me queriam. Eu me regozijava em ser usada, se quiser ser honesta. Preservação física não pode ser a explicação para aquelas atividades repugnantes; o trabalho honesto mais humilde teria sido suficiente para lhes dar um fim. O que agora me parecem derrotas na época soava-me como vitória. Enquanto estava ocupada com um, já pensava no próximo, como um bêbado que precisa de uma bebida atrás da outra. Não porque estivesse em busca de prazer; o que eu buscava era a comprovação de que possuía algum valor, de que não era inferior às outras mulheres. Ao terminar com um cliente, minha existência estava justificada. Aparentemente, tinha de aplacar um tipo de apetite que ia além do meu estômago. Buscava um consolo deplorável, como o que experimentara pela primeira vez ainda em Pasiano, tanto tempo antes, ao saciar o velho Antonio, conde de Montereale.

Fosse como fosse, escondida sob o véu, em meio ao bem-estar inebriante de reencontrar uma imagem de mim que julgava perdida, de ser vista quase como a menina que eu havia sido, uma compreensão ainda me escapava, não obstante sua platitude exemplar: tinha sido eu mesma, e não os clientes ou qualquer cretino ocioso, que aprendera a olhar Lucia sem preconceitos! Deixara, finalmente, de me ver através dos olhos dos outros. Era esse o motivo do meu êxito, na vida privada e no meu ofício. Minha felicidade já não dependia do que estranhos atirassem na minha direção; eu tinha o suficiente para compartilhar. Foi dessa forma que a máscara com que tentei guardar distância das pessoas acabou por me aproximar delas.

Enquanto a metamorfose se concluía, pressenti que um segredo importante me seria revelado. Em meio ao turbilhão das novas impressões, vislumbrei uma verdade que eu não chegava a compreender, como o sentimento que pode surgir quando se vela o leito de morte de um ente querido ou se espera o nascimento de uma criança: algo se sobrepõe a todas as coisas e, ainda que por esta única vez, nos faz encarar nossa existência abertamente. Como átomos de cobre num balão-de-ensaio, as impressões que rodopiavam dentro de mim permaneciam voláteis e não reativas. Para adivinhar nelas a chave do meu futuro, eu necessitava de antimônio, de um agente que precipitasse a substância flutuante. Essa clareza, eu só a teria através de Giacomo.

5.

"Não se compreende!" Ele riu quando me deitei com languidez sobre o seu peito, depois do nosso prazer. "Há pessoas que consideram pecado este presente divino e, de livre e espontânea vontade, preferem passar a vida sem desfrutá-lo." Ele rolou meu corpo para o lado e saiu da cama. Imaginei que se vestiria para ir embora, mas nada mais distante dos seus planos. Como se sua obra estivesse inacabada, senta-se na ponta do divã com as pernas cruzadas, põe os meus pés no colo e começa massageá-los com um toque gentil: as ondas de desejo após o prazer se prolongam e crescem em mim.

"Essa gente deve vir de outro planeta."

Giacomo é tudo o que havia prometido ser. Passamos nos braços um do outro a primeira noite, e também nos dias que se seguem, os últimos do ano, ele quase não me deixa sozinha. Eu me derreto com as atenções dele, como um peregrino que ao fim da viagem se entrega luxuosamente a um banho, uma cama e às bênçãos de sua consciência.

É verdade que Giacomo se prova um amante extraordinário, ao mesmo tempo terno e exuberante. Não tenta dissimular que em primeiro plano está o seu prazer, cultivado com refinamento e cândida devoção. É reconfortante. Ele afirma, e eu acredito em suas palavras, que as alturas plenas do êxtase só podem ser alcançadas se o sentimento é recíproco. Por isso, empenha-se ao máximo em satisfazer às suas amantes tanto quanto a si próprio. Esse objetivo exclusivo o torna irresistível. Sua dedicação extremada faz com que eu me sinta a única entre as mulheres. Claro, é apenas uma feliz ilusão, curiosamente não embaçada pelos relatos que ele continua a fazer de outras conquistas. Trata-se de um talento: envaidecido, ele narra seus jogos com uma infinidade de mulheres como se os compartilhasse com um camarada de taverna e os transforma em elemento de insuperável sedução *au lit*. Tudo o que um homem normal omitiria para não anular suas chances, Giacomo põe às claras no campo de batalha. Nos momentos de calmaria entre as nossas tempestades, quando recuperamos o fôlego deitados lado a lado, ele me faz cúmplice de suas aventuras mais íntimas. Umas poucas vezes até me pergunta como eu teria agido em seu lugar em determinada tentativa de sedução, ou como se sente uma mulher quando lhe fazem uma proposta picante sem meias palavras. O mais surpreendente é que não me sinto ofendida ou com ciúme em momento algum. Por essa imunidade a sentimentos secretos, ele dá a impressão de que me vê em plano de igualdade, condição que jamais conheci com outro homem. Somos como crianças, tão travessas quanto inocentes, rindo dos assuntos adultos que descobrimos em nossas brincadeiras. Assim são as coisas, ele parece me dizer, essas são as minhas travessuras, conto a você porque somos parecidos.

Igualdade é um afrodisíaco infalível, mas para um efeito duradouro ambas as partes teriam de beber dele.

* * *

"Catorze!", exclama rindo.

Era noite de Ano-Novo, nossa terceira noite juntos. Giacomo me apresentou um dilema a respeito de uma moça que já mencionara algumas vezes. Recentemente conseguira impressioná-la com seus quadrados mágicos e pirâmides numéricas. Era uma das histórias que contava para me divertir, provando que eu desfrutava de sua confiança incondicional. Estava encantado com a srta. Hester, a filha de Hendrik Hooft, um dos conselheiros de Amsterdã. Giacomo andava brincando com a afeição dela havia algum tempo, mas ainda não se atrevera a levar o caso adiante, dada a pouca idade da moça.

"Ela deve estar lamentando a sua ausência, agora que você tem ficado sempre comigo. E, quando descobrir que você simplesmente não caiu num canal, praguejará contra a megera que o fez mudar de caminho."

"Eu disse a ela que tinha de ser cauteloso, pois se a visse todos os dias seus olhos devorariam a minha alma."

"E como ela recebeu esse sofisma?"

"Sem uma única palavra." Ele fez um gesto negativo com a cabeça, admirado. "Catorze anos e já tão esperta!"

"O décimo quarto ano é um dos mais reveladores para uma menina", observo o mais calma que posso. "É um ano de impressões intensas e marcas profundas. Não esqueça que nesse momento a menina está à frente do garoto, em termos de desenvolvimento do corpo. Ao mesmo tempo, sua perspicácia inata ainda não foi refreada pelo mundo. Porque é um período em que tudo o que experimentar ficará inscrito nela para o resto da vida. Por favor, seja cuidadoso. É uma idade perigosa, catorze anos."

Talvez ele não tenha percebido o grau de seriedade da minha advertência ou estivesse tentando justamente amenizá-lo, mas o fato é que ignorou minhas palavras. Prosseguiu narrando o ousado episódio em que a teria convencido da natureza sobrenatural do tal oráculo. A criança duvidara das artes cabalísticas de Giacomo e lhe pedira que fizesse aos números uma pergunta cuja resposta ninguém, a não ser ela, poderia saber.

"Hester tem uma covinha no meio do queixo e uma deliciosa pintinha preta", ele me diz. "É muito pequena, mas chama a atenção. Como bem sabe quem é um pouco mais velho e acumulou algum conhecimento de anatomia e de fisiologia, tudo o que se observa no rosto — comprimento, estrutura, cor, quantidade de pêlos, volume e formato dos lábios — é reflexo de características que se apresentam em outras partes do corpo. Partes que uma menina decente costuma manter escondidas."

"Que sabedoria", replico irônica, mas Giacomo acredita piamente nessa conversa de comadres. Para me provocar, afirma que seu conhecimento a meu respeito é exatamente o inverso e que, no que lhe diz respeito, posso manter o meu véu, pois meu corpo já lhe revelou o meu rosto.

"Como eu tinha certeza do que estava dizendo", prossegue com toda a seriedade, "quis impressionar Hester fazendo com que o oráculo apresentasse uma resposta extremamente específica a uma pergunta geral: 'Oh, casta beleza, ninguém sabe que no lugar mais secreto do seu corpo, aquele que se destina apenas ao amor, existe uma pequenina mancha como esta que se vê em seu queixo'. Ela ficou pasma, não apenas pela verdade do meu pronunciamento, mas porque ela mesma não sabia da existência daquela mancha em suas partes privadas. Que inocente! Pouco depois, permitiu-me que eu a procurasse com a mão. Quando notou que eu duvidava se conseguiria senti-la com o tato, permitiu-me buscá-la com os olhos."

"E?"

"Lá estava."

"Claro", zombei.

"Menor que um grão de cevada, mas lá estava. Permitiu-me beijá-la até eu perder o fôlego."

"E interrompeu aí?"

"Pobre de mim."

Sua história o excita. Pronto para uma segunda vez esta noite, beija meu pescoço e segue descendo, sem que eu o impeça de empreender investigação similar.

"Que alternativa eu teria? Catorze anos!"

"A mesma idade não o deteve em ocasião anterior."

"Deteve. Mas felizmente *você* já deixou para trás essa doce e complicada idade."

"É verdade", concedo, "mas hoje um homem precisa ter berço para me impressionar."

A frase lhe soa como um incentivo e eu permito que se deleite, embora meu coração não esteja ali. Enquanto ele se perde em mim, sinto cada um dos nossos movimentos me sacudir, despertando-me do sonho de felicidade que vivi nos últimos dias.

Não sou o tipo de mulher que vê os homens de maneira diferente do que eles realmente são e que lhes dá as costas quando não concretizam os sonhos que ela alimentou. Se não se tem grandes expectativas, também não se corre o risco de desilusão. Essa é a primeira lição. Pode soar amarga para quem acaba de ser iniciado no amor; para nós, mais experientes, funciona como um consolo. As pessoas têm medo de ajustar seus ideais. Preferem fracassar, depois de prolongá-los ao máximo que podem, a aceitar uma tipóia. Nunca pude compreender isso. Há quem passe a vida inteira salivando ao lado de uma mesa para a qual não foi convidado e, enquanto isso, para acalmar a fome, aceita as migalhas que lhe atiram. Pode morrer com os sonhos da juventude intactos, sem nunca se dar conta do milagre cotidiano pelo qual o seu estômago vazio transforma os restos de pão em iguaria. Qualquer um pode ter esperança de um dia desfrutar da abundância, mas é preciso uma confiança cega na fantasia para extrair esperança justamente da carência!

Foi assim que a história a respeito de Hester teve sobre mim um efeito simultaneamente incômodo e salutar. Nada tempera melhor os meus sonhos do que a realidade.

"Receio apenas", acrescenta, completando o pensamento, "que a menina venha a descobrir que tais similaridades físicas entre o rosto e as partes íntimas não passam de uma evidente constatação natural."

"Não me parece provável", digo para tranqüilizá-lo. Nossos corpos ainda estão unidos. Ponho minhas mãos sobre o quadril dele, fazendo-o mexer-se no ritmo desejado. "Eu mesma estou ouvindo isso pela primeira vez."

"Temo que a confiança depositada em mim se transforme em desprezo."

Em momentos como esse, sinto que me distancio dele. Sem tristeza alguma, meu coração dá alguns passos para trás de forma a ver Giacomo melhor.

"Essas ansiedades me corroem", diz. "Com você também! O medo de perder o seu respeito. Sua fé em mim." Interrompe sua atuação e vai se sentar ao pé da cama, com real preocupação. "Amar alguém corrói a alma tanto quanto perceber que não se é digno desse amor."

Talvez esteja se referindo a mim, talvez a ela. Na verdade, pouco importa.

"Por que persistir, então? Se acredita mesmo que não a merece, deixe-a livre!"

Ele me olha com incredulidade.

"Com os portões do paraíso à vista?" A idéia de não agarrar o que está ao seu alcance parece-lhe tão absurda que a seriedade se dissipa e seu humor volta a emergir. Engatinha sobre a cama, ajoelha-se diante de mim e abre minhas pernas com dedos gentis.

"Renunciar ao paraíso que está diante de mim?" Sacudindo a cabeça, desaparece por entre as minhas coxas. "Que tolo faria isso?"

Era o sinal que eu estava esperando.

Continuo como amante de Giacomo durante toda a semana, até sua partida para Paris, no quinto dia do novo ano. Nosso prazer é interrompido uma única vez, quando Jamieson vem a minha casa na quinta-feira à tarde. Os últimos dias e noites se fundiram tão completamente que perdi a noção do tempo e sou surpreendida pelo visitante. Tento me mostrar o mais apresentável possível, mas os esforços para convencê-lo de que não me esqueci do nosso encontro regular parecem pouco convincentes. Quando o faço entrar, ainda dou a impressão de quem acaba de sair da cama.

"Sinto muito", murmuro. "Um resfriado. Não me sinto bem."

"Minha querida", ele diz, dando-me um beijo antes de caminhar em direção à sala, como de costume. Para sua surpresa, encontra ali o chevalier Jacques de Seingalt, resplandecente em sua seda parisiense, sorvendo pequenos goles de uma xícara de chá. A atuação dele é muito mais persuasiva do que a minha. Largado numa cadeira tal qual uma pilha de roupas para lavar, parece entediado com a longa visita a uma enferma.

"Ah! Mister Jamieson!" Giacomo dá um salto e estende a mão para cumprimentá-lo. "Enfim alguma distração!" Em seguida, passa-me o bule de chá, que repousava havia dias sobre a mesa, sem uso. Como se a água tivesse acabado de esfriar, sugere que eu traga água fervente para o convidado. Eis um homem esplendidamente acostumado a se safar de situações comprometedoras.

Na cozinha, gasto um momento em me arrumar um pouco e, enquanto Giacomo distrai o americano, subo as escadas dos fundos, para ir ao meu quarto e apagar os vestígios da nossa atividade.

"Mas o que o senhor tem contra o Novo Mundo?", ouço Jamieson perguntar quando volto com o bule. "O senhor teme tanto assim o futuro?"

"Não no que diz respeito à Europa. Ao contrário. Nós nos voltamos em direção à luz e estamos às vésperas de uma nova era de razão e igualdade."

"E as Américas não são o laboratório perfeito para testar essas novas teorias de vocês, um território virgem, livre do lastro sombrio do passado?"

"Senhor, nossas teorias se originam justamente desse passado. Nós o estudamos e o sistematizamos para assim extrair, definir e formular as novas idéias. Foi dessa maneira que conseguimos dominar nossa natureza inata. Os novos brotos ainda são muito delicados para serem colhidos do solo e transplantados, especialmente quando tudo parece tão confuso. O seu continente ainda vive em estado de caos. Falta-lhe civilização e, sobretudo, a tolerância pela qual nós aqui na Europa tivemos de lutar tanto."

"Acredito", comentei, enquanto servia chá aos dois cavalheiros, "que o julgamento de monsieur de Seingalt seria muito mais ameno se a América tivesse caído em mãos francesas."

"A batalha ainda não terminou", diz Giacomo sem nenhuma ironia. "No ponto em que as coisas estão, vocês serão obrigados a começar do zero e terão de reinventar a civilização."

"Nenhum temor." Jamieson evita prosseguir a discussão para não me aborrecer. "Um novo país com novas possibilidades, um país cujas fronteiras ainda estão se expandindo. Pelo menos, temos uma vantagem sobre vocês: somos movidos pela esperança!"

"É verdade, já ouvi alguns de seus compatriotas falarem sobre essa esperança. Trata-se de um otimismo totalmente irracional, com raízes no coração. O nosso, ao contrário, está enraizado na razão. O de vocês é um entusiasmo que se alimenta de si mesmo e dispensa fatos e argumentos."

"Exatamente do tipo em que eu sempre confiei", interrompo com um comentário leve, para acalmar os espíritos e conduzir a conversa a águas mais calmas, que assim permanecem por trinta ou quarenta minutos. Por fim, Giacomo sugere que não deseja perturbar mais a recuperação da senhora convalescente. Ambos se levantam e seguem juntos até a porta, onde se despedem.

"O senhor viu tanto do mundo", diz Jamieson antes de partir. "Talvez devesse nos honrar uma vez com sua visita, monsieur de Seingalt, e ver com seus próprios olhos as nossas ilimitadas possibilidades. O senhor não me parece do tipo que hesita em desfrutar de algo que lhe pareça oportuno."

"Guarde suas energias, senhor", Giacomo responde, fingindo não ter captado o insulto. "Eu não me aproveitaria da imaturidade de seu país nos negócios." E, lançando-me uma piscadela, indica que estará de volta a minha casa depois de um pequeno giro. "Não pisarei em solo americano. A idéia me desagrada inteiramente, incluindo o país e as pessoas. O senhor não me verá lá enquanto eu estiver vivo e respirando, pode ter certeza."

Para se verem, as pessoas olham no espelho. Se detectam algo inesperado, inclinam-se mais perto para examinar em detalhe a irregularidade. De minha parte, me vejo mais claramente a certa distância.

Quando fui exibida na sala de dissecação, precisei dissociar o pensamento do meu corpo nu e do defunto desmembrado diante dos meus olhos. Nesses abismos, a alma ganha asas. Muitas vezes me redescobri num dos bancos da última fila do anfiteatro, seguindo a aula em meio aos outros estudantes. Via o professor abrir o cadáver, extrair-lhe os nervos e assentá-los nas costas anônimas do modelo vivo lá embaixo — em mim. Eu podia estudar a moça à vontade, sem nenhuma empatia com seu sofrimento. Foram aulas extremamente instrutivas.

Mais tarde, essa habilidade de separação se mostrou muito útil quando os desejos de algum cliente me desagradavam. Nas situações mais sufocantes, era assim que me mantinha lúcida. Às vezes, enquanto me despia para um ou outro homem e era observada e manuseada por eles, conseguia ver a cena inteira a distância, ainda que fosse eu a participante principal. Era como se eu estivesse na companhia dos deuses, observando do alto a jovem receber as aulas sobre o amor concebidas para ela.

Nos últimos dias que passei nos braços de Giacomo, flagrei-me divagando da mesma maneira. Lutava por me puxar de volta, mas a tentação de ficar e assistir era irresistível! À distância, eu tinha uma visão mais agradável da minha felicidade e do meu prazer, e sentia-me grata pela fortuna de me deleitar com as forças do amor de que eu fora privada cruelmente por tanto tempo.

Reflito sobre o futuro, a despedida e a verdade, e fica evidente, para mim, que é muito mais seguro observar o amor do que vivê-lo. Queria poder concluir as coisas com um final feliz, mas não sei como. Os planos se acumulam em minha mente, ao mesmo tempo em que nossos corpos se debatem de desejo, cada vez mais frenética e avidamente à medida que o tempo se esgota. Vislumbro de súbito uma possibilidade. Dou um grito, como fazem os amantes, e fico sem ar.

A salvação amaldiçoa por detrás de uma estante na última fila do anfiteatro, muito acima da cama onde o amor está sendo dissecado. Embora eu saiba muito bem como me distanciar, não sei me despedir. Minha primeira separação de Giacomo determinou o curso da minha vida. Agora, devo dizer adeus pela segunda vez. Quem imaginaria crueldade maior? Em breve, se o plano der certo, se eu encontrar forças, ainda virá uma terceira vez. Definitiva.

A noite anterior à partida, nossa última noite, é a mais difícil para mim. Justamente por restar tão pouco tempo, sinto cada minuto que escoa. A contagem regressiva nos perturba: nossa ânsia de aproveitar é tão deliberada, que esquecemos de nos render ao prazer. Queremos desesperadamente nos agarrar ao momento, a cada minuto, cada um deles mais frágil que o anterior, e assim nos lançamos adiante, ávidos, em pânico, como o rapaz que se afogou ao tentar atravessar o rio Isala no final do inverno. Tivesse parado, teria sido possível salvá-lo, mas quanto mais gritavam para avisá-lo sobre o gelo que se rachava sob os seus pés, mais ele parecia correr, mais rápido se jogava, mais inalcançável se tornava.

De manhã, Giacomo se levanta sem me acordar e se apressa até seu alojamento, a fim de pegar a bagagem e despachá-la para a posta. Encontro-me com ele ali por volta das dez horas, pouco antes do horário de partida da diligência. Se a despedida é inevitável, melhor então que seja curta. Os outros passageiros já embarcaram; estão ansiosos pelo início da viagem.

"Então?", ele pergunta, com um pé já no estribo. "Algum arrependimento? Ganhei a nossa aposta?"

"Não estou tão convencida disso: devo dizer que me dói bastante vê-lo ir embora."

"Desde o início eu lhe disse que não poderia ficar muito tempo."

"Isso é verdade."

“E com certeza eu voltarei, talvez já na primavera. Você estará aqui à minha espera, não?”

Essas frases! Tento, com todas as forças, não fraquejar. Parece que as reconheço, palavra por palavra, mas não sei se a memória me prega uma peça. Ele entra na carruagem. No rosto dos outros viajantes surge uma expressão de alívio. Consigo mostrar um sorriso e ergo o dedo em riste, de brincadeira.

“Ai, ai, ai, como tem coragem de me fazer um pedido desses?”

“Aparentemente, a resposta exige coragem ainda maior, pois você não se arrisca a me contestar.”

“Não prometo nada. Não quero cometer o mesmo erro da sua Lucia.”

Ele perde a fala e me encara.

“Aquele seu primeiro amorzinho que tanto o decepcionou”, digo a título de explicação. Disfarço, não quero dar a entender que deixei algo escapar sem querer, tento mudar de assunto. “Você deveria ser mais esperto. Posso ser tomada por uma vontade louca de ir embora daqui, quem sabe para algum lugar remoto, e você então me desprezaria... Não, não faremos promessas!”

As portas da carruagem já se fecharam. Seu rosto ainda lembra o de um marujo que acabou de ver um navio fantasma. Viro-me para tomar o caminho de casa. Reclinando-se na janela aberta, Giacomo grita na minha direção:

“O nome dela...”

“Perdão?”

“Tenho certeza de que nunca pronunciei esse nome. Não na sua presença. Como pode saber o nome dela?”

O cocheiro lança um açoite enérgico nos cavalos. A carruagem se põe em movimento com um repuxão. A estrutura range. As rodas estalam sobre as pedras.

“É simples”, digo-lhe, acenando em despedida. “Pois eu conheço a sua Lucia. Pessoalmente!”

6.

Conheci a fome. Às vezes, quando a frota ficava retida por uma ou duas semanas antes de atracar na ilha de Texel, não havia homens suficientes para tantas prostitutas que perambulavam pelas ruas da capital. Podíamos passar dias e dias andando por ali, sem que ninguém quisesse nos usar. Lembro-me dessa batalha em três fases. Primeiro, o estômago roendo. A preocupação cresce e cede ao pânico, e o corpo quer tudo o que vê.

Então a carência se torna mais aguda. É o desespero. Não há mais espaço para medo ou hesitação. Com um impulso selvagem, você vai catando tudo, até o que não é comestível. Pega tudo o que encontra e enfia na boca. Pára de pensar, vai apenas pegando as coisas.

Por fim, a natureza se mostra misericordiosa. Olho no olho com a morte, a indiferença o invade como uma onda. Você vem à tona e se deixa levar. Alcança assim uma paz abençoada e, em vez de se preocupar com a vida, olha para a frente. Não quer mais ter, não quer mais pegar, não quer mais se prender. A mente sitiada baixa a guarda. A alma se abre. Começam as alucinações. É uma sensação viciante, a ponto de ser difícil sentir-se grato quando, por fim, alguém o resgata.

Por isso pude compreender tão bem quando o meu marinheiro relatou a luta para puxá-lo de volta a bordo. De início os náufragos avaliam, em estado de alerta, quais as chances de voltar a pisar em terra firme. Depois, agarram-se com tanta força, com tanta sofreguidão, a qualquer coisa que apareça pela frente, que são capazes de afogar seus salvadores. Só então, resignados, distendem os membros. O abandono do cálculo, a ausência de escolha. Há quem veja Deus acenar-lhe; outros vêem uma sereia. Já não têm nenhum desejo, mas confiam nas águas. Nesse estado é que podem ser salvos mais facilmente.

Para mim, foi assim com o amor. Por muito tempo acreditei que tinha de me agarrar a ele com todas as forças para sobreviver.

Ele não demorou. Em menos de dois meses Giacomo retornava de Paris. Surpreendentemente, antes mesmo que o degelo começasse. Eu temia o reencontro. Tinha medo de hesitar, de me emocionar demais, de me retrair no último momento, de fraquejar diante do teste formidável que me esperava. Por outro lado, o plano já estava tão bem assentado que eu não via a hora de pô-lo em prática e nos libertar a nós dois.

Ele se hospedou na Segunda Bíblia, na Warmoesstraat, de novo como Jacques de Seingalt, chevalier de França. Mandou avisar que queria me receber ali, em seus aposentos, e que lhe agradaria ainda mais visitar-me em casa. Manifestou a intenção de retomar nossa brincadeira onde a havíamos interrompido. Na cama. Mas eu não podia me permitir. Seu toque arrebataria as minhas forças. Bastaria que sua pele roçasse a minha e toda a determinação acumulada durante semanas, tal qual camadas sucessivas de tinta, iria simplesmente inchar e partir. Uma única palavra sussurrada ao meu ouvido e eu já não teria forças. Não, era preciso ser prudente e permanecer afastada de Giacomo até o confronto final, como dois lutadores que na véspera do embate são mantidos apartados, pois a mera visão do adversário pode suscitar piedade e anular a condição de lutar. Cada nervo, cada fibra do meu corpo me eram necessários.

Respondi o seguinte: muito me alegrava saber que um amigo tão querido estava na cidade, mas infelizmente era impossível recebê-lo aquela noite; já tinha compromisso. E saí com Jamieson, conforme o planejado.

O americano queria comemorar o fechamento de um negócio altamente lucrativo na Bolsa e a aquisição de dez anos de monopólio comercial nos Países Baixos. Presenteou-me com um colar de pérolas negras e fez questão de me ajudar a colocá-lo. Apesar dos seus dedos toscos, foi com ternura que o vi tomar todo o cuidado para não levantar demais o meu véu. Estávamos a sós e ele vira minha deformidade no incidente da casa de fiar; logo, não havia de fato nenhum sentido em tentar manter o segredo. Ainda assim, ele o fez, apenas para não me embaraçar. Aceitei de bom grado o presente, pois tão logo o gelo desaparecesse do porto de Amsterdã ele partiria para Nova York, levando os seus gordos lucros, para reassumir o comando de seu empreendimento comercial. Eu perderia o rendimento regular que me proporcionava e não tinha nenhum substituto em vista. Era quase certo que seria obrigada a desistir de minha casa, e as pérolas, se penhoradas, ao menos gerariam algum dinheiro, retardando um pouco a privação.

Estava ainda demonstrando minha gratidão a Jamieson quando um mensageiro veio trazer outra carta de Giacomo, que insistia num encontro o mais breve possível. Tinha esperança, assim escreveu, de esclarecer a charada que eu havia lhe apresentado por ocasião de sua partida. Escondi a carta para poder me dedicar inteiramente a Jamieson. Ele, no entanto, era bastante sensível para um homem. Notando minha inquietação e percebendo que meus pensamentos estavam distantes, indicou-me com um gesto sutil que demonstrações mais ardorosas de gratidão eram desnecessárias. Ficou ainda o suficiente para constatar que eu recuperara a serenidade e depois me deixou sozinha, para que eu fosse dormir cedo naquela noite.

Não preguei os olhos. Tirei o pingente de meu avô da mala de viagem onde o mantinha escondido e passei a noite inteira sentada, segurando-o nas mãos. Não me deixei intimidar pela imagem refletida ali. Pela primeira vez em muitos anos, olhei além do meu reflexo e rezei a santa Lúcia. Pedi coragem, uma coragem sobre-humana como a que lhe permitira — para se manter fiel à sua vocação e não sucumbir ao olhar do seu amor — arrancar os próprios olhos. Deixei-me tomar por tal êxtase que pensei sentir o sofrimento dela nos meus nervos. Graças a Deus, o bom senso me voltou a tempo, e com ele o meu antigo desprezo por mulheres que fazem sacrifícios sem sentido. Sentei-me à escrivaninha e fiz o que precisava ser feito, revigorada pela crença de que minha recompensa viria ainda nesta vida, não na próxima.

Meu amado De Seingalt, chevalier,

Que pena! Assuntos de emergência obrigam-me a viajar em breve para Utrecht e provavelmente de lá para Colônia, talvez para mais longe ainda. O destino, ao que parece, não nos sorri e vem impedir o reencontro pelo qual ansiávamos. Não quero, entretanto, esquivar-me ao enigma que, segundo diz, o atormenta desde a nossa despedida. Presumo que se refira à nossa aposta: se você a venceu — sim ou não. Certamente se lembra de que ela envolvia dois desafios: estavam em jogo a sua reputação e a minha felicidade.

Pelo jogo, permiti que me fizesse a corte e ganhasse o meu coração. Você se empenhou na tarefa com todo o fervor e me fez crer genuinamente em seu amor, mantendo-se sempre franco e honesto. Nunca me fez promessas que não pudesse cumprir e, quando partiu, qualquer tristeza que eu tenha sentido nasceu de pequenas expectativas que eu mesma havia criado, contra a minha vontade e a despeito da sua translúcida representação das circunstâncias. Enquanto durou, fui capaz de me entregar inteiramente ao prazer sem perder a clareza de visão. Em conseqüência, devo confessar que desfrutei do nosso affaire e dele emergi sem danos. Considere, portanto, que obteve uma vitória gloriosa, pela qual merece não apenas as minhas congratulações, mas também o meu agradecimento, pois fomos ambos beneficiados por sua destreza. Ao contrário do que eu inicialmente planejara, é impossível tomar o nosso caso como prova da segunda parte da aposta, isto é, exibir-me como exemplo de que uma mulher sofreu por ter sido amada por você.

Isso não significa admitir que tal pessoa não exista.

Pois uma infeliz coincidência a pôs no meu caminho. Encontrei-a alguns anos atrás, por intermédio de senhoras que me convenceram a fazer pequenas obras de caridade em benefício dos nossos pobres, tão numerosos nesta cidade. Várias vezes o rosto dela me chamou a atenção durante a distribuição de pão e roupas usadas. Aos poucos se mostrou menos tímida. Ganhei sua confiança, e ela acabou por me contar sua triste história. É tamanha a divergência com o relato que você me apresenta — e não só porque ela o chamava pelo nome de batismo —, que precisei de um bom tempo antes de compreender que o meu Jacques era o Giacomo de que ela falava e que a infeliz criança não era outra senão a sua Lucia.

Ela é o trunfo que ocultei desde o primeiro lance da nossa aposta. Saio-me, portanto, vencedora. De outra parte, para ser honesta, fui também derrotada, porque agora, tendo me afeiçoado tão pro-

fundamente a você, preferiria deixá-lo sem arranhar a fé inabalável que devota à sua própria benemerência. Sinto muito.

Caso jamais voltemos a nos encontrar, não tema. O que houve entre nós foi apenas um jogo de que participamos ambos para nossa imensa e recíproca satisfação. Por conseguinte, registre-me como um crédito substancial no seu livro de contabilidade, crédito que anulará, suponho, o débito de felicidade daquela existência miserável que lamentavelmente fui obrigada a lhe revelar.

Adeus.

Ah, sim, caso queira ver com seus próprios olhos a pobre coitada, Lucia em geral pode ser encontrada quase às sextas-feiras e aos sábados numa das casas de jogo do Zeedijk. Rogo que a estude primeiro à distância e o advirto: não é uma visão agradável. Se deve ou não lhe falar, deixo essa decisão a cargo de sua intuição, na qual aprendi a confiar. Suplico-lhe que se deixe guiar pelo amor que sentiu um dia e que não julgue uma vida que você mesmo não viveu. E esteja preparado para o pior.

Que o amor o acompanhe sempre,

Sua, Galathée de Pompignac

Terminei a carta no início da manhã e mandei entregá-la. Durante o resto do dia, tentei descansar um pouco. Lá fora estava congelando. Passei horas deitada na cama, ouvindo o silêncio do gelo que se estendia sobre a cidade como um cobertor, abafando todas as vozes. Isso me manteve calma. Ao cair da noite, pus um vestido de retalhos que havia comprado no mercado especialmente para a ocasião. Era como aqueles trapos que eu costumava vestir fazia tanto tempo e que não se assemelhava em nada ao meu guarda-roupa atual. Não pus nenhum adorno, a não ser o pingente do meu avô, bem à mostra. Por fim, já nos degraus da porta, retirei o véu.

Andei pelo dique e escolhi o Golfo da Guiné. Não era a casa de pior reputação, mas estava longe de ser um lugar salubre. Como não sabia por quanto tempo seria obrigada a esperar, escolhi uma cadeira próxima ao fogo. Com o brilho das chamas, eu estaria suficientemente exposta naquele local dominado pela escuridão.

As pessoas dançavam. As meninas regulares da casa ficaram intrigadas com a minha presença, vi que faziam perguntas entre si, mas logo a novidade se gastou e elas foram subindo com os clientes. Só uma veio me dizer que meu rosto assustava as pessoas e que eu estava arruinando a noite para elas. Espantei-a para longe brandindo o atiçador da lareira e grasnando. A proprietária da casa trouxe uma caneca de cerveja para me acalmar. Eu continuei ali, à espera, dormitando com o calor.

Minha imperfeição. Esta era a parte do plano que mais me desagradava: voltar a exibi-la em público. Agora, porém, o ato não parecia tão doloroso. Ao contrário, depois de escondê-la por tanto tempo, eu própria me surpreendia com a mudança de atitude. Seria ridículo dizer que de repente sentira algum tipo de orgulho da minha aparência, mas naquele momento ela tampouco foi motivo de vergonha. Procurei em vão, como a uma bóia que inesperadamente tivesse mudado de lugar, a tristeza que se tornara natural em mim. O que teria se modificado? Sentia-me mais forte por saber que, apesar de tudo, eu era capaz de amar. Essa certeza já crescia dentro de mim; faltavam-me apenas as palavras para dizê-la. Faltava-me decifrar também de que maneira essa metamorfose íntima influenciaria meus sentimentos em relação à minha aparência.

Meu olhar de vez em quando era atraído pelas chamas que lambiam a madeira. A cintilação me fazia divagar ainda mais, e de repente estava ali o náufrago diante de mim, aquele que, de tanto se debater, por pouco não se afogara e só pôde ser salvo depois de desistir da vida. Duas ou três fagulhas indisciplinadas saltaram de uma só vez da lareira e, junto com a lenha que as chamas consumiam, o pensamento irrompeu: de súbito pude ver, como uma visão sagrada, a lição que o destino estava tentando me ensinar.

Por muitos anos confundi amor com desejo. Desde muito jovem, acostumei-me a ver pessoas que se queriam ardentemente. Algumas saíam à caça para conquistar o amor; outras ficavam em casa, irrequietas, aguardando que alguém viesse lhes oferecer amor. As pessoas falavam como se a própria vida dependesse dele. Quem ainda não o tinha deveria encontrar uma maneira de conquistá-lo. De preferência, rápido. Se já o tivera, mas o havia perdido, então era obrigação encontrar prontamente um substituto, ainda que para tanto fosse necessário roubar o tesouro de alguém que acabava de se apoderar dele. A aquisição do amor era mais valorizada do que a fama ou a fortuna. Até um pedaço de pão para comer era menos importante, pois se dizia que o amor matava a fome. Os apaixonados podiam superar todas as privações para alcançar o prêmio pelo qual ansiava seu coração. E ninguém era mais digno de louvor do que a pessoa disposta a renunciar à própria vida para conquistar o amor de outro.

Contudo, não obstante os esforços dedicados a essa aquisição, o amor era desfrutado plenamente apenas por uns poucos felizardos. Todos os demais inspiravam pena e autopiedade. Conheci alguns que queriam o amor de uma única pessoa, ainda que esta se recusasse a corresponder, e ao mesmo tempo rejeitavam o amor que lhes era espontaneamente oferecido por quem não desejavam. No fim, sentindo-se miseráveis, desistiam da paixão inicial para agarrar qualquer coisa ainda ao alcance; em muitos casos, descobriam que já era tarde demais e ficavam de mãos abanando. Aqueles que não se resguardavam para o amor de uma única pessoa eram igualmente infelizes. Esperavam obedientes que um dia a tal pessoa certa viesse agraciá-los com seu amor. Quando chegava o momento e a felicidade se aproximava, abriam as portas e corriam ao encontro dela. Postavam-se na beira da estrada de braços estendidos e mãos abertas, na expectativa de enfim receber o presente tão esperado, e ficavam completamente atônitos, sem compreender nada, quando os eleitos mal chegavam e já davam meia-volta, intimidados por tamanha sofreguidão. Depois de anos sem que ninguém lhes oferecesse o que queriam, afundavam na melancolia até finalmente perder o seu último amor, aquele que sentiam por si próprios.

Todas essas pessoas, sem exceção, pensavam no amor como um direito seu, e nenhuma delas conseguia compreender por que não lhes era possível obtê-lo, ainda que em caráter passageiro.

Quando encontrei Giacomo, compreendi o que era o tesouro que tantos à minha volta buscavam. Foi infinita a felicidade de receber o amor dele e, enquanto me foi permitido, sabê-lo só meu. Quando ele se foi e o levou consigo, acalentei a memória ainda por muitos anos, embora sentisse que ela também ia escorrendo para longe de mim. Carreguei esse troféu como uma criança que caminha pela praia com uma montanha de areia nas mãos, entristecida pelos grãos que perde a cada passo, mas orgulhosa do que ainda consegue segurar.

Por fim, recitava as poucas coisas de que me lembrava como uma fórmula mágica para convocar ainda uma vez aqueles parcos momentos de felicidade. Remoía na mente as cenas em que Giacomo me entregava seu amor, repetia palavra por palavra, como se elas tivessem um poder sagrado. E, para suprir a sua ausência, inventei um artifício. Alternadamente, deslocava-me para a posição dele e retomava a minha: num momento, imaginava-me como Giacomo sussurrando palavras amorosas no ouvido de Lucia; em seguida, eu era Lucia sussurrando-lhe seu consentimento. Talvez tenha sido essa repetição infinita que me aprisionou no encantamento, talvez tenha sido o estudo insistente do mesmo material — as mesmas palavras, os mesmos gestos imaginados incessantemente —, como um cientista incansável que examina uma parte de sua criação, ansioso por descobrir nela um padrão. Seja como for, de repente, em meio a esse transe, fiz uma descoberta surpreendente.

Era tão simples que no início não quis acreditar. Se a verdade era de fato tão evidente, por que eu nunca a tinha visto? Lembro-me de que, numa manhã, monsieur de Pompignac me mostrou o frontispício da *Enciclopédia*, no qual Diderot imprimira uma gravura: a Razão e a Filosofia arrancando juntas o manto que encobre a Verdade. Era assim, nua e irrefutável, que ela se apresentava diante de mim. Estaria a chave da felicidade à porta de todos, ainda que a maioria das pessoas não a percebesse? Seria possível que algumas coisas só pudéssemos encontrar depois de desistir de procurá-las? As minhas lembranças mais indeléveis relacionavam-se todas aos momentos em que eu presenteava meu amor a Giacomo. Não que me sentisse menos feliz, menos alegre ou menos satisfeita quando o amor do jovem abade me era ofertado, mas nessas ocasiões o que eu sentia era acima de tudo gratidão. Entre esse dar e receber havia uma diferença ligeiríssima, quase imperceptível e desprezível no nosso jogo amoroso; se o destino não nos tivesse separado em tão pouco tempo, talvez eu jamais a notasse.

Se, como acreditei a princípio, a bênção estava em receber e manter o amor, seria esperado que minha felicidade se desvanecesse quando eu já não tinha Giacomo para me amar. E, contudo, não foi o que aconteceu. Conheci minha felicidade mais profunda *sem* Giacomo, quando ele se encontrava em Veneza e eu, desfigurada, me recuperava da minha doença. Aqui não há possibilidade de dúvida: jamais me senti tão plena quanto naquele momento em que ele estava distante e eu decidira sacrificar meu futuro em seu benefício. A bênção e o júbilo do meu amor não estavam em ser amada, mas em amar!

Agora que havia compreendido isso, passados tantos anos, tinha nas mãos a única arma capaz de repelir qualquer ataque. É esta a verdade mais profunda que repousa detrás do visível, tal como os olhos de santa Lúcia estão gravados no avesso do vidro do meu pingente e só se deixam ver com certa incidência de luz.

Cada palavra que já escrevi ou virei a escrever resume-se a este segredo. Narro a minha vida para que você o conheça desde o início, sem o sofrimento da descoberta: somos infelizes porque pensamos que precisamos ter o amor de alguém. Nossa salvação depende de um gesto simples, que no entanto nos parece bastante difícil: dar a outro o que mais desejamos receber. Não *ter*, mas *dar*. Assim, extraímos triunfo da derrota. Foi o que me ensinou a minha imperfeição.

Sem véu, sem máscara, sentada perto da lareira com a caneca de cerveja na mão, hipnotizada pelo fogo, deixei o pensamento vaguear um pouco mais. Se eu fosse como as outras meninas, se tivesse me lançado a uma paixão depois da outra, a idéia de felicidade poderia ter passado em brancas nuvens na minha vida. Mas, justamente, na escuridão que fui forçada percorrer, tive um lampejo dessa verdade. E é a minha salvação, pensei, e eu a devo ao meu rosto. Naquele momento, brotou do triste peso que eu carregava uma grandeza que a razão jamais poderia gerar.

A sabedoria de um velho pode ser lida em suas rugas; a coragem de um guerreiro, em suas feridas. O que nos distingue é o que ficou gravado em nós.

* * *

"Seingalt! Eu avisei, não foi?"

Com uma só batida do meu coração, esse grito me trouxe de volta ao aqui e agora. Era a voz de Rijgerbos. Ele estava parado junto à porta entreaberta, pronto para sair daquele ambiente malcheiroso depois de uma espiadela.

"Não sei o que mais poderíamos encontrar aqui a não ser uma bela dose de sopapos."

Giacomo o empurrou para o lado e entrou.

"Mas que criatura teimosa", continuou a reclamar Rijgerbos em seu melhor francês, para depois seguir o amigo como se caminhasse sobre estrume, atento para não encostar em nada e ninguém. "Não sei quem foi que lhe disse para vir aqui em busca de diversão, mas isto com certeza não é nenhum exemplo de limpeza e higiene!"

Sentaram-se no bar e pediram uma bebida. Giacomo, enquanto isso, examinava a sala pouco iluminada. Seu olhar pousou duas vezes em mim — e me paralisou —, mas não lhe ocorreu que poderia ser eu a pessoa que ele procurava. Nas duas vezes, não deu sinal de me reconhecer. Por fim, levantei-me e fui até ele. Naqueles poucos metros, cruzei um abismo que me parecera sempre intransponível. Pus a mão sobre o seu ombro. Ele se virou aborrecido e fez um gesto para que eu fosse embora, como quem se livra de um estorvo. Mal me olhou. Só ao compreender que eu não me retiraria é que se pôs de pé e foi forçado a me observar. Meu rosto. Meu pescoço. Meu corpo inteiro. Meus seios, com o pingente que ele conhecia de outros tempos. De novo o meu rosto, e no rosto dele eu vi a fúria ameaçadora se transformar em incredulidade. Sua dor não foi menor do que a minha. Lágrimas lhe encheram os olhos. Ele tentou se virar para esconder o asco, mas não me deu as costas completamente. Para disfarçar o embaraço, pegou o copo e virou a bebida de um gole só. Fungou e passou um lenço no rosto. Só então teve coragem de se voltar para mim. E eu, enquanto isso, fingia que estava contente por reencontrá-lo. Ele forçou um sorriso. Fingi que por pouco não o reconhecia, visto que os anos o haviam mudado tanto.

"Estou feliz de ver você tão próspero", disse-lhe em nossa língua materna, simulando minha voz na juventude, mais aguda e leve. "E você deve estar chocado de ver o que foi feito de mim."

"Lucia...", disse finalmente. "Eu não fazia idéia..."

"*Alguém* lhe disse que me encontraria aqui, não foi?"

"Sim, isso eu sabia", gaguejou. "Mas eu não viria a um lugar desses... Foi por isso que vim, por você. Vim encontrá-la. Afinal..." Aos poucos ele se recompunha. Segurando-me pelos ombros e sem tirar os olhos de mim um segundo, pôs-se a me examinar, a me estudar, como se tentasse descobrir algum vestígio da antiga afeição. Por fim, sem nada melhor a dizer, disse: "Afinal, eu te amei!".

Para horror de Rijgerbos, que não falava italiano e que, em pé do nosso lado, testemunhava a intimidade do amigo com aquela miserável criatura, Giacomo propôs alugar um quarto lá em cima, por uma hora, para que eu pudesse contar com calma a minha história.

Não desmenti minha primeira mentira. Contei a partida de Pasiano tal como havia instruído minha mãe a fazê-lo; apenas floreei com alguns detalhes, para lhe dar mais credibilidade. Disse que o mensageiro L'Aigle havia me seduzido. Que eu estava determinada a me manter fiel e que lutei contra ele, mas L'Aigle era simplesmente muito mais forte do que eu. Que pensei em me matar ao descobrir que estava grávida, mas não fui capaz dessa violência. Que preferi fugir, por causa da vergonha. Que tinha acabado na rua, levando uma vida em que o meu corpo havia sido devastado por amor. Giacomo me ouvia de olhos vidrados. Minha aparência o perturbara a tal ponto que ele na verdade mal sabia o que eu estava dizendo. De súbito, me interrompeu no meio de uma frase: "A culpa é toda minha!", gritou.

Eu não planejara levá-lo a esse pensamento. O que esperava era que minha fabulação, de um único golpe, nos libertasse a ambos da culpa. Somente ao destino se podia atribuir o que havia acontecido — foi o que eu lhe disse, recusando seus pedidos de perdão. Agora que ele estava ciente de tudo, poderia, talvez, buscá-lo dentro de si para me compreender, de algum modo, e então, sem rancor, esquecer. Ele escondeu o rosto nas mãos.

Rijgerbos, perfeitamente incapaz de entender o que se passava ali, não se atrevia a nos olhar. Enfiado atrás de um jornal, tocou a campainha para pedir mais vinho.

"Se eu tivesse voltado a Pasiano mais cedo... Podia ter voltado, não me custava... Tudo poderia ter sido tão diferente!"

"Se eu realmente fosse digna do seu amor", argumentei, "teria me mantido fiel a você." Sua confissão de culpa me desagradava. Eu encenava aquele confronto para extinguir em Giacomo algum último sentimento por mim, definitivamente, e não para atiçar sua compaixão. "Eu te amava", disse no tom mais indiferente que pude, "mas com certeza não o suficiente. Senão, teria resistido a L'Aigle."

"Se você nunca tivesse me conhecido, se eu não tivesse estimulado as suas emoções, seu coração teria permanecido puro, e, quando aquele sujeito se aproximasse, você não teria lhe dado ouvidos. Se eu ao menos tivesse sido mais leviano, ou melhor, não, justamente o contrário... Se a tivesse amado menos, se tivesse tido menos respeito por você, se tivesse lhe dado menos valor, se tivesse satisfeito os seus desejos, em vez de apenas provocá-los, se eu não a tivesse deixado intacta, naquela sofreguidão que a fez se entregar ao primeiro velhaco..."

"Seja como for", repliquei friamente, "quando você voltou, não havia mais o que fazer." Tive medo de ser tragada pela força dessas emoções, minha coragem se extinguia. A tristeza em seus olhos estava quase me levando às lágrimas. Mas pude reprimi-las, graças às palavras que ele me disse em seguida:

"Meu Deus, como fui idiota!", lamentou. "Por muito tempo me orgulhei de ter sido virtuoso naquela época, de ter preservado a sua virtude! Pois agora me arrependo, agora me envergonho daquela tola privação! É como se alguma divindade tivesse marcado este dia para me lembrar o que aprendi desde o meu infeliz retorno a Pasiano: que é um pecado imperdoável não agarrar as oportunidades que o amor põe diante de nós."

Num átimo, seu tom nos trouxe de volta à boa compostura. Ali, em poucas palavras, estava a sabedoria de sua vida. A estrela que ele seguia nos fizera mais e mais distantes. Senti apenas tristeza pela impossibilidade de o guiar de volta àquele ponto em que os nossos caminhos haviam se cruzado.

Alegando outro compromisso, disse aos cavalheiros que os deixaria e propus levá-los a Giovanna e Danae, que teriam o maior prazer em entretê-los pelo resto da noite. Eles assentiram passivamente. Diante da porta das meninas, despedimo-nos. Eu estava menos surpresa com as lágrimas de Giacomo do que com minha própria indiferença, como se elas fossem uma correnteza que me levasse para longe dele.

Foi aqui que me soltei da nossa história.

Eu me distanciei.

Eu me salvei.

Não que fosse inocente.

Quando fui embora, ainda ouvi Rijgerbos comentar aliviado que até que enfim aquele estranho interlúdio se encerrara. Estavam livres agora, e prontos para uma noitada de genuíno prazer.

7.

O mar está calmo. Estamos na terceira semana de viagem. Acabei de vir do convés. Agrada-me ver como mantemos nosso curso direcionado para o pôr-do-sol. Contra o céu tingido de um vermelho profundo, as velas parecem pegar fogo. Outra coisa que gosto de fazer: andar até a proa e me inclinar o máximo possível sobre a amurada. Quase flutuando sobre as ondas, imagino-me sozinha por um instante. Com você. Não me arrependo. Sinto-me como se tivesse deixado cair uma moeda na imensidão do oceano. Não importa o quanto eu precise dela, a moedinha necessariamente descerá até o fundo do mar; não importa o quanto eu me esforce, jamais terei como trazê-la de volta. Isto me consola: o que perdi está fora do meu alcance, para sempre. Fui forçada a esquecer e seguir viagem. Não é preciso temer o futuro. Nada é garantido, a não ser que você chegará.

Quando a noite cai, volto à cabine e continuo a escrever este relato, com a esperança de que um dia você o leia.

Mal deixara Giacomo depois do nosso último encontro e, antes mesmo de alcançar o final da ruela, me senti violentamente doente, como se tivesse tomado um dos horríveis vomitivos que frei Onofrio me dera quando criança, quando fiz a tolice de engolir folhas de um arbusto venenoso. Não era comida estragada. Como daquela vez, era algo violento e venenoso, que veio sem aviso, diversas vezes pelo caminho, sem me dar trégua até que eu chegasse em casa. Passei o resto da noite com tremores fortes, sem saber a causa das minhas convulsões. Na manhã seguinte, recebi a visita de Jamieson. Havia acertado sua passagem e partiria assim que os ventos se tornassem favoráveis. Iniciei minhas despedidas para lhe desejar uma boa viagem, mas ele me interrompeu, muito agitado, pedindo-me que me sentasse e ouvisse o que tinha a dizer. Compreendi que vinha dizer mais do que adeus.

"Não sei o que há entre você e aquele francês", começou, "mas, quando ele está na cidade, fica evidente que não tenho a menor chance com você. Meus esforços são vãos e eu me calo para não me desgastar. Embora faça de tudo para lhe agradar, você mergulha em seus pensamentos e escapa para outro mundo. E eu fico aqui, invisível como um índio num campo de papoula."

Fui obrigada a rir. "Se eu não o conhecesse, pensaria que está com ciúme!"

"Ciúme!" Ele protestou: "Mais uma emoção francesa que nem existiria se a circulação sangüínea deles não estivesse obstruída pela pressão dos franzidinhos! Não se trata disso, menina, por favor, me ouça. Meu plano não era tocar nesse assunto. Mas é que gosto de vê-la feliz".

Agradeci-lhe pelo tempo agradável que passamos juntos, afirmando que guardaria boas lembranças das nossas noites. Ele não se deixou distrair:

"Mas em breve... Eu sei quem você é. Não é difícil magoá-la.

Que coisa, eu vi com meus próprios olhos!" Houve silêncio por alguns instantes. Ambos pensávamos no momento em que meu segredo fora desvendado diante dele. "Quem estará ao seu lado para protegê-la? É tudo o que lhe pergunto, pelo amor de Deus! E além disso..." Agora ele não tinha mais coragem de me olhar e se pôs a estudar os dedos das mãos e roer as unhas. "Amo as mulheres, você sabe disso."

"E isso muito nos alegra."

"Sem piadas. Tenho alguma experiência. Não é a primeira vez e... Bem, vou direto ao ponto: sei muito bem o que se passa. Estou vendo. Seus seios estão mais cheios, os mamilos estão mais rígidos. Não sou idiota. Nos últimos dois meses, você não cancelou nenhum encontro por estar naqueles dias de incômodo. Há quanto tempo está grávida?"

"Ainda que fosse verdade, não seria seu, de forma alguma."

"Não", replicou bravo, "bem sei que não. E como poderia? Sou um homem decente, muito obrigado! Mas todos sabemos que os franceses levam a higiene pessoal bem menos a sério."

"O que está insinuando?"

"Eu ouvi aquele seu chevalier, sabe como é, alardear na taverna que esse novo método que aqui em Amsterdã anda tão na moda lhe parece um empecilho ao prazer pessoal e que ele preferiria amarrar um limão espremido na ponta do membro."

"Isso não é problema seu, Jamieson", eu disse em tom brusco, levantando-me para mostrar que a conversa se encerrava ali. Lamentei que nossa amizade terminasse assim, mas ele continuou a insistir, teimoso como era, até que o levasse à porta, quando enfim compreendeu que o excesso de franqueza o fizera desperdiçar todas as suas chances.

"Uma última vez volto a lhe dizer, e depois nunca mais: sei quem é você. Eu a aceito como é, com o passado e tudo mais, e — que se dane, falo abertamente, que mal pode haver? — não a amo menos por isso, é o que queria dizer. Não espero que me ame. Como poderia? Está vendo esta minha cara? Veja essas patas. Não servem para nada. Grandes demais para acariciar alguém. Cheias de calo. Muito diferentes dos dedinhos franceses que passam o dia na manicure. Não, não, eu poderia esfregá-las até ficarem brilhando e totalmente lisas, mas para afagar uma mulher como ela merece, não, para isso são grosseiras demais. Não tenho muito a oferecer, quer dizer, apenas dinheiro e segurança, mas posso lhe garantir que você e o seu..."

Bati a porta em algum ponto do discurso, mas ele continuou a esbravejar da calçada.

"Limão, veja bem! De todas as frutas cítricas, ele escolheu justamente o limão! Nem ao menos a laranja! Eis a glória francesa numa única sentença." Depois, ficou em silêncio. Por um momento pensei que tivesse ido embora, mas de repente ouvi batidas na porta. Regulares, respeitosas. Não abri. Com o acanhamento costumeiro, numa voz que falhava, Jamieson pôde apenas acrescentar: "O que eu quero dizer é o seguinte: quando eu for embora daqui a pouco, quem me garante que ninguém vai trapaceá-la?".

Não posso saber ao certo quem é o seu pai. Assim são as coisas. Pode ser aquele homem ou um outro. Pouco importa agora. Eu o amarei como nunca amei ninguém, simplesmente porque até pouco tempo atrás não sabia que nada poderia ser melhor. Agora tenho a oportunidade. Mais tarde, quando você tiver idade suficiente, eu lhe ensinarei; você lerá minhas palavras e entenderá por que sua mãe insistiu sempre na mesma palavra. Ame! Não parece nada muito especial, mas eu aprendi — agora você sabe — contra todas as probabilidades. Pensando assim, você é o filho da união de Lucia e Giacomo. Não os julgue com tanta severidade; não fosse o amor deles, você não teria o meu.

* * *

Jamieson mal acabara de ir embora e outra batida, desta vez bastante urgente, soou à porta. O mensageiro pareceu aliviado de me encontrar em casa, pois recebera ordens terminantes de ir a minha procura onde quer que eu estivesse, seguindo, se necessário, na direção de Utrecht, Colônia ou ainda mais para o leste. Era um envelope gordo. Quando o abri, caíram no chão cédulas de dinheiro.

Chère Galathée,

Junto com esta carta, encontrará cédulas no valor total de duzentos escudos, destinados ao pagamento de minha dívida. Você os ganhou honestamente, ainda que eu preferisse lhe dar dez vezes mais, ou melhor, cem vezes, se tivesse me poupado das revelações de ontem à noite.

Lucia estava de fato no lugar indicado. Veio falar comigo. Tentei me esquivar, mas era tarde demais. Ela já havia me reconhecido e se dirigiu a mim num tom queixoso. Sua imagem é indescritível. É impossível que tenha mais de trinta anos, mas isso não significa nada; parece ter cinqüenta ou até mais, e o fato é que uma mulher é tão velha quanto o decreta sua aparência. Tudo foi resultado da vida libertina a que ela se entregou depois do nosso último encontro em Pasiano. Um mensageiro a engravidou e a levou a Trieste para o parto, onde ainda permaneceu com ela por uns cinco meses, talvez seis, antes de abandoná-la. Mas você conhece os detalhes da lamentável história. Durante a hora que gastou com o relato, ela esvaziou duas garrafas. Também se referiu a você com bastante afeição, e eu lhe imploro que continue a ser sua amiga. Ela não tem mais ninguém. Quando estávamos a sós, dei-lhe alguns ducados, mas se você, por ocasião de seu retorno a Amsterdã, tiver a bondade de fazer mais por ela, eu lhe serei eternamente grato. No final, Lucia nos levou a duas jovens que trabalham para ela e que lhe dão metade do que ganham. Como sua beleza desapareceu, suponho que não lhe tenha restado alternativa. É o desfecho previsível.

Embora sua infelicidade tenha ocorrido sem que eu de nada soubesse, não posso negar que a culpa cabe também a mim. Isso não deixa dúvidas quanto ao ajuste de nossa aposta — o pagamento de minha dívida segue com esta carta. Pobre Lucia, ela não se tornou apenas feia, mas algo muito pior: tornou-se repulsiva! É deliceran-te ver pisoteado o que amamos um dia.

Tenha certeza do ardor com que esperarei a sua volta e o nosso reencontro.

Seu,
Seingalt

Ainda na mesma tarde os ventos repentinamente mudaram de direção. Não precisei de muito tempo. Já tentara minha sorte de norte a sul. Agora iria na direção oeste. Peguei alguns vestidos e os joguei na mala com as poucas jóias que possuía. O dinheiro da aposta, escondi-o junto do corpo, pois o porto estava infestado de tipos suspeitos. Recolhi as folhas de papel que havia comprado e é nelas que escrevo a história da minha vida para você, uma história que nenhum mortal jamais ouviu: eu a guardei para alguém que poderia me amar incondicionalmente. À uma e meia eu me encontrava na rua ao lado do canal, nem um instante a mais, pois o capitão pretendia estar no mar antes do cair da noite. O dinheiro de Giacomo pagou minha passagem; assim, não fiquei devendo nada a Jamieson. Ele exultou quando me viu subir a bordo, e aquele homem enorme e desajeitado chorou feito uma criança. Não importa o que venha a acontecer entre nós, ele será como um pai para você. Isso ele me prometeu. Nada lhe faltará.

Jamieson me contou que Nova York hoje em dia é grande e elegante, nem um pouco parecida com Amsterdã. A cidade tem cerca de três mil mansões construídas com tijolos vermelhos. As ruas são pavimentadas e amplas, ladeadas por calçadas. É tão bonita que nenhuma cidade européia se compara a ela. É circundada de água, com largos canais onde se erguem grandes armazéns, dois dos quais são propriedade de Jamieson, um para estocagem de tabaco, outro para peles.

Hoje avistamos terra, provavelmente a Virgínia. Significa que estamos a um dia de viagem de Nova York, no máximo dois.

Completamos a travessia.

A costa tem um aspecto encantador, mas parece que a vida longe das cidades é bastante dura. O povo deste lado do mundo ainda é bruto, porém cheio de esperanças, e ouvi dizer que são conhecidos por seu otimismo irracional — como se existisse alguma outra forma de otimismo! Segundo Jamieson, a necessidade de serem bem-sucedidos nasce justamente das adversidades. Isto me agrada: fazer coisas que vão contra a corrente. A América ainda tem poucas cicatrizes.

Mas o que me agrada acima de tudo talvez seja isto: escapar da Europa. É uma terra velha demais. Foi ferida muitas vezes. Foi cavada muito profundamente. Foi tantas vezes despertada com tamanha crueldade, que já não consegue divagar em sonhos despreocupados. Em vez disso, entregou-se à razão. Vezes sem conta o caos se criou porque as pessoas seguiram seus instintos naturais, de modo que agora elas já não têm coragem de confiar em seus impulsos. Têm medo de tudo o que lhes pareça incompreensível e, por esse motivo, fazem de tudo para desvendar até o último segredo. Giacomo é assim, é desses que querem tornar racional até a felicidade. Perdoe-o. Ninguém pode fugir inteiramente à confusão de sua própria época. Eu, menos ainda. Durante muito tempo, esforcei-me por caminhar sob o jugo do raciocínio, mas ele é pesado demais para mim. Escolho o oposto. Quando se é como eu, a última coisa que se quer é ver as coisas exatamente como elas são. Mas você será diferente, será fruto de ambos: do velho e do novo, da razão e do sentimento. E será livre para escolher.

Eu consegui me libertar.

Não sucumbi.

Pós-escrito

Lucy Jamieson foi enterrada em 11 de fevereiro de 1802 no cemitério de Saint Paul, em Flatbush, Nova York. Segundo a lápide de seu túmulo, ela sobreviveu mais de trinta anos ao marido. Tiveram três filhos ao longo do casamento; o mais velho, um menino, ela o chamou Jacob.

Giacomo Casanova nunca descobriu toda a verdade sobre a vida e o sofrimento de Lucia. Em suas memórias, contudo, ele a descreve como a primeira das duas únicas mulheres que tratou injustamente. Ainda assim, não dedica mais de meia dúzia de páginas ao seu grande amor. Primeiro relembra como se encontraram, o que ele sentiu e a traição dela em Pasiano. Adiante, descreve o choque ao encontrá-la novamente, desta vez num bordel de Amsterdã. Lucia se tornara não apenas feia, *mas algo pior*: tornara-se *repulsiva*. Casanova parece quase indiferente sobre o que lhe teria acontecido e sobre o motivo de ela ter renunciado à felicidade no passado.

Além dos livros e documentos que consultei, as palavras de Casanova foram fundamentais para reconstruir a história de

Lucia. Como ocorre com freqüência às pessoas brilhantes, sua memória abre espaço para diferentes verdades. No relato que faz das aventuras na Holanda, por onde viajou com o pseudônimo de Seingalt, essas verdades às vezes se chocam, tal como o fazem, de fato, ao longo de toda a *Histoire de ma vie*. Nomes, lugares, períodos e mesmo os anos podem estar em desacordo com os fatos. A discrepância pode ser deliberada — para tornar a história mais interessante ou para encobrir a verdade —, mas pode também ser atribuída à tendência da memória a reordenar e remodelar os eventos. Giacomo muitas vezes aglutina diferentes visitas em uma só ou divide um único evento em várias partes. Dentre todas as verdades, escolhi a mais congruente com a história de Lucia. Tomei como base sobretudo o relato das conversas com ela em Pasiano. Os diálogos que aparecem aqui são muitas vezes idênticos àqueles; na minha versão, entretanto, são apresentados sempre da perspectiva de Lucia. Das memórias (que cito segundo a tradução para o holandês de Theo Kars), aproveitei ainda algumas idéias e anedotas que iluminam o caráter de Casanova e os costumes da época. Outros livros que se mostraram úteis foram *Casanova in Holland*, do dr. D. Hoek, e *Casanova*, de J. Rives Childs.

A vida e o círculo de amigos de Anna Morandi Manzolini foram descritos por Angela Ghirardi, da Universidade de Bolonha. Ali, no Museo di Anatomia Umana Normale, encontra-se preservado o auto-retrato em cera de Anna, assim como alguns de seus modelos anatômicos. Marcello Venuti escreveu sobre as escavações que fez com seus irmãos perto de Herculaneum. Charles Dellschau consagrou a vida às máquinas voadoras de Zélide. Os desenhos que descrevo e a receita da *soupe* integram a coleção Menil, em Houston, Texas.

Quase tudo o que sei sobre os costumes e as práticas da prostituição na época de Lucia, aprendi num magnífico estudo de

Lotte van de Pol, *Het Amsterdams hoerdom* [As prostitutas de Amsterdã]. Recolhi também certas expressões num livro de 1681 que traz o mesmo título e narra em detalhe uma excursão aos bordéis e casas de jogo da cidade. A classificação das prostitutas como cavalos veio do livro *Boereverhaal van geplukte Gys aan sluwe Jaap, wegens zyne Amsterdamsche zwier-party* [A verdadeira história do criador de ovelhas Gys], de meados do século XVIII. Mais uma vez, foram de grande ajuda as conversas que eu e o cineasta Ineke Smits tivemos com prostitutas durante as pesquisas para o filme *Hoerenpreek* [O sermão das prostitutas]. Devo muito a essas mulheres, pela confiança que demonstraram ao nos contar suas motivações, experiências, emoções e sonhos. Agradeço à associação De Rode Draad [O Fio Vermelho], que congrega prostitutas holandesas, por nos colocar em contato com elas. O livro *Doctors of Amsterdam: Patient care, medical training and research (1650-2000)* [Doutores de Amsterdã: Cuidados com o paciente, treinamento médico e pesquisa], de Annet Mooij, foi valioso para a reconstrução das sessões de Lucia no curso de anatomia e para o panorama do conhecimento sobre anatomia no século XVIII.

Arlequim Hulla, a peça a que Galathée assiste com Casanova, foi escrita em 1747, por Jacques Japin.

ESTA OBRA FOI COMPOSTA PELA SPRESS EM ELECTRA E IMPRESSA
EM OFSETE PELA GRÁFICA BARTIRA SOBRE PAPEL PÓLEN SOFT DA
SUZANO PAPEL E CELULOSE PARA A EDITORA SCHWARCZ EM SETEMBRO DE 2007